CW00431093

GWEDDÏAU ENWOG

TRYSORFA O WEDDÏAU CRISTNOGOL Y CANRIFOEDD

Golygydd
Cynthia Davies

Argraffiad gwreiddiol: *Lion Book of Famous Prayers*
Awdur y testun gwreiddiol: *Veronica Zundel*

Awdur y testun Cymraeg: Cynthia Davies
Golygydd y testun: Elisabeth James
Golygydd cyffredinol: Aled Davies

ISBN 1 874410 60 7

Cyhoeddwyd gan:
Cyhoeddiadau'r Gair
Cyngor Ysgolion Sul
Ysgol Addysg C.P.G.C.
Ffordd Deiniol, Bangor
Gwynedd. LL57 2UW

Diolch arbennig i'r Parch. Geoff van der Weegen am ei gymorth amhrisiadwy wrth gasglu'r gweddïau

Darluniau

Cynnwys

Rhagymadrodd

Gofynnodd disgyblion Iesu i'w meistr, "Arglwydd, dysg i ni weddïo"; gweddi enghreifftiol a roddodd iddynt nid rhestr o reolau. Roedd yn ateb doeth, oherwydd yr ydym yn dysgu'n bennaf trwy efelychu eraill. Fel gyda phob cyfathrebu mae angen i ni ddysgu sut i siarad â Duw. Yr ydym yn tueddu i adael i'n meddyliau grwydro neu i fynd ar goll wrth ddyfalu. Weithai rydym yn ceisio gwneud argraff ar Dduw trwy'n gweddïau hir a sancteiddrwydd ein teimladau, heb gofio ei fod ef yn medru gweld beth sydd yn ein calonnau ni.

Gall defnyddio gweddïau pobl eraill ein helpu ni i hoelio ein sylw ar Dduw a'n hatgoffa ni beth yw diben gweddi. Ambell dro, fel y carwr sy'n darllen cerddi i'w gariad, fe welwn fod geiriau rhywun arall yn mynegi'n teimladau yn gliriach nag y medrwn ni eu cyfleu.

Ymgais i gasglu ynghyd rhai o'r gweddïau y mae'r eglwys Gristnogol wedi eu caru a'u defnyddio drwy'r canrifoedd yw'r llyfr hwn. Maent yn mynegi pob math o deimladau a phrofiadau dynol: llawenydd, galar, euogrwydd, diolchgarwch, angen, tosturi, hunan-ymroddiad, brawdoliaeth. Ysgrifennwyd rhai gan bobl enwog, mae awduron y rhai eraill yn anhysbys. Cawsant eu trosglwyddo o'r naill genhedlaeth i'r llall. Fe'u gweddïwyd gan fynachod mewn clwystrau, gan filwyr ar faes y gad, gan unigolion a chynulleidfaoedd, gan y rhai oedd yn berchen ar ffydd gref a chan y rhai a oedd yn fabanod yn y ffydd. Mae eu naws yn amrywio o'r diobaith i'r ysgafn, gyda thipyn go lew o hiwmor yma a thraw.

Yr hyn yr wyf fi wedi bod yn edrych amdano wrth ddewis gweddïau ar gyfer y detholiad hwn yw'r uniongyrchedd a'r gonestrwydd sy'n gwrthod bod yn sychdduwiol o flaen na Duw na dyn. Mewn gwirionedd yr ydym ni i gyd yn ddechreuwyr ym maes gweddi - ni cheir y fath beth ag arbenigwyr ynddo. Daw'r gweddïau gorau, y gall pob un ohonom uniaethu â hwy, o sylweddoli, yng ngeiriau Sant Paul "na wyddom sut y dylem weddïo, ond y mae'r Ysbryd ei hun yn ymbil trosom".

Fel gyda phob detholiad bydd y darllenydd yn chwilio am ryw hoff weddi heb ei chael hi. Ni fwriadwyd iddo fod yn ddim mwy na chyflwyniad i'r drysorfa enfawr o weddïau Cristnogol sydd ar gael. Gall y rhai a ysbrydolir gan y llyfr hwn fynd ati i chwilio am weddïau eraill gan yr awduron sydd wedi eu cynnwys ynddo.

Yn bennaf oll, gobeithio na fydd y gweddïau hyn yn cael eu darllen am eu bod yn ddiddorol o'r safbwynt llenyddol neu hanesyddol. Gobeithio y byddant yn sbardun a fydd yn ysgogi'r darllenydd i weddïo. Efallai y byddant, hefyd, yn ysbrydoli rhywrai i gyfansoddi gweddïau newydd, a fydd yn dod, yn eu tro, yn ffefrynau ymhlith y cenedlaethau sydd i ddod.

Gweddïau'r Beibl

Am gannoedd o flynyddoedd bu'r Hebreaid yn cofnodi sut yr oedd Duw wedi ymwneud â hwy - yn eu gwaredu trwy ei weithredoedd, yn ei ddatguddio ei hun trwy ei eiriau, yn addo Iachawdwr a byd newydd iddynt. Ceir eu hysgrifeniadau, a ysbrydolwyd gan Dduw, yn y Beibl. Mae'n llyfr hanes, yn llyfr doethineb, yn llyfr cyfreithiau, yn llyfr emynau. Mae'n llawn o weddïau amrywiol hefyd.

Gweddïodd pobl Dduw am nerth, ac am faddeuant, a thros eu hanghenion dyddiol hwy eu hunain ac eraill. Buont yn llefain ar Dduw mewn anobaith, yn ei foli, ac yn diolch iddo am ei ddaioni. Bu eu gweddïau yn sail i lawer o weddïau eraill drwy'r canrifoedd.

Moli Duw am y Greadigaeth

SALM 8

O ARGLWYDD, ein Iôr, mor
ardderchog yw dy enw ar yr holl ddaear!
Gosodaist dy ogoniant uwch y nefoedd,
codaist amddiffyn rhag dy elynion
o enau babanod a phlant sugno,
a thawelu'r gelyn a'r dialydd.
Pan edrychaf ar y nefoedd,
gwaith dy fysedd,
y lloer a'r sêr, a roddaist yn eu lle,
beth yw dyn, iti ei gofio,
a'r teulu dynol, iti ofalu amdano?
Eto gwnaethost ef ychydig islaw duw,
a'i goroni â gogoniant ac anrhydedd.
Rhoist iddo awdurdod ar waith dy ddwylo,
a gosod popeth dan ei draed:
defaid ac ychen i gyd,
yr anifeiliaid gwylltion hefyd,
adar y nefoedd, a physgod y môr,
a phopeth sy'n tramwyo llwybrau'r
dyfroedd,
O ARGLWYDD, ein Iôr,
mor ardderchog yw dy enw
ar yr holl ddaear!

Cri am gymorth

SALM 42: 1 - 5

Fel y dyhea ewig am ddyfroedd rhedegog,
felly y dyhea fy enaid amdanat ti, O Dduw.
Y mae fy enaid yn sychedu am Dduw, am y Duw byw;
pa bryd y dof ac ymddangos ger ei fron?
Bu fy nagrau'n fwyd imi ddydd a nos,
pan ofynnent imi drwy'r dydd, "Ple mae dy Dduw?"
Tywalltaf fy enaid mewn gofid wrth gofio hyn -
fel yr awn gyda thyrfa'r mawrion i dŷ Dduw
yng nghanol banllefau a moliant, torf yn cadw gŵyl.
Mor ddarostyngedig wyt, fy enaid,
ac mor gythryblus o'm mewn!
Disgwyliaf wrth Dduw; oherwydd eto moliannaf ef,
fy ngwaredydd a'm Duw.

Cyffes y Brenin Dafydd

O SALM 51

Bydd drugarog wrthyf, O Dduw,
yn ôl dy ffyddlondeb;
yn ôl dy fawr dosturi dilea fy meiau;
golch fi'n lân o'm heuogrwydd,
a glanha fi o'm pechod.
Oherwydd gwn am fy meiau, ac y mae fy
mhechod yn wastad gyda mi.
Yn dy erbyn di, ti yn unig, y pechais
a gwneud yr hyn a ystyri'n ddrwg,
fel dy fod yn gyfiawn yn dy ddedfryd,
ac yn gywir yn dy farn.

Wele, mewn drygioni y'm ganwyd,
ac mewn pechod y beichiogodd fy mam.
Wele, yr wyt yn dymuno gwirionedd oddi mewn;
felly dysg imi ddoethineb yn y galon.
Crea galon lân ynof, O Dduw,
rho ysbryd newydd cadarn ynof.
Paid â'm bwrw ymaith oddi wrthyt,
na chymryd dy ysbryd sanctaidd oddi arnaf.
Dyro imi eto orfoledd dy iachawdwriaeth,
a chynysgaedda fi ag ysbryd ufudd.
Dysgaf dy ffyrdd i droseddwyr,
fel y dychwelo'r pechaduriaid atat.

Gweddi o Ymddiriedaeth
SALM 131

O ARGLWYDD, nid yw fy
nghalon yn ddyrchafedig,
na'm llygaid yn falch;
nid wyf yn ymboeni am bethau rhy fawr,
nac am bethau rhy ryfeddol i mi.
Ond yr wyf wedi tawelu a distewi fy enaid,
fel plentyn ar fron ei fam;
fel plentyn y mae fy enaid.
O Israel, gobeithia yn yr ARGLWYDD
yn awr a hyd byth.

Gweddi'r Arglwydd
MATHEW 6: 9 - 13

Ein Tad yn y nefoedd,
sancteiddier dy enw;
deled dy deyrnas;
gwneler dy ewyllys,
ar y ddaear fel yn y nef.
Dyro inni heddiw ein bara
beunyddiol,
a maddau inni ein troseddau,
fel yr ŷm ni wedi maddau i'r rhai a
droseddodd yn ein herbyn;
a phaid â'n dwyn i brawf,
ond gwared ni rhag yr Un drwg.

Emyn Mawl Mair
LUC 1: 46 - 55

Y mae fy enaid yn mawrygu yr Arglwydd,
a gorfoleddodd fy ysbryd yn Nuw, fy ngwaredwr,
am iddo ystyried distadledd ei lawforwyn.
Oherwydd wele, o hyn allan fe'm
gelwir yn wynfydedig gan yr holl genedlaethau,
oherwydd gwnaeth yr hwn sydd
nerthol bethau mawr i mi,
a sanctaidd yw ei enw ef;
y mae ei drugaredd o genhedlaeth i genhedlaeth
i'r rhai sydd yn ei ofni ef.
Gwnaeth rymuster â'i fraich,
gwasgarodd ddynion balch eu calon;
tynnodd dywysogion oddi ar eu gorseddau,
a dyrchafodd y rhai distadl;
llwythodd y newynog â rhoddion,
ac anfonodd y cyfoethogion ymaith yn waglaw.
Cynorthwyodd ef Israel ei was,
gan ddwyn i'w gof ei drugaredd -
fel y llefarodd wrth ein tadau -
ei drugaredd wrth Abraham a'i had yn dragywydd.

Iesu'n Gweddïo am Waredigaeth
MARC 14: 36

Abba! Dad! Y mae pob peth yn bosibl i ti. Cymer y cwpan hwn oddi wrthyf. Eithr nid yr hyn a fynnaf fi, ond yr hyn a fynni di.

Gweddi Paul dros yr Effesiaid
EFFESIAID 3: 14 - 19

Oherwydd hyn yr wyf yn plygu fy ngliniau gerbron y Tad, yr hwn y mae pob teulu yn y nefoedd ac ar y ddaear yn cymryd ei enw oddi wrtho, ac yn gweddïo ar iddo ganiatáu i chwi, yn ôl cyfoeth ei ogoniant, gryfder nerthol trwy'r Ysbryd yn y dyn oddi mewn, ac ar i Grist breswylio yn eich calonnau drwy ffydd. Boed i chwi, sydd â chariad yn wreiddyn a sylfaen eich bywyd, gael eich galluogi i amgyffred ynghyd â'r holl saint beth yw lled a hyd ac uchder a dyfnder cariad Crist, a gwybod am y cariad hwnnw, er ei fod uwchlaw gwybodaeth. Felly dygir chwi i gyflawnder, hyd at holl gyflawnder Duw.

Awstin o Hippo

354 - 430

Fe allai gweddi enwocaf Awstin "Fe'n gwnaethost i ti dy hun, ac mae'n calonnau'n aflonydd hyd nes y gorffwysant ynot ti", fod yn ddisgrifiad o'i fywyd ef ei hun.

Fe'i ganwyd yn Tagaste yn Algeria. Roedd ei dad yn bagan a'i fam yn Gristion. Magwyd ef yn y ffydd Gristnogol. Roedd yn fyfyriwr disglair iawn ac astudiodd rethreg ym Mhrifysgol Carthage gyda'r bwriad o fynd yn gyfreithiwr. Yno, mewn penbleth oherwydd problem drygioni'r byd, gwadodd ffydd ei blentyndod.

Fodd bynnag, parhaodd Monica, ei fam, i weddïo drosto. Tra roedd yn dysgu ym Milan daeth Awstin o dan ddylanwad yr Esgob Emrys, a dechreuodd chwilio am Dduw. Fe'i cafodd ei hun mewn argyfwng pan glywodd lais plentyn yn dweud wrtho, yng nghanol brwydr ysbrydol, 'Tolle lege' - "Cydia ynddo a'i ddarllen". Cydiodd yn y Beibl yr oedd yn ei ddirmygu gynt, a thynnwyd ef at Dduw gan y geiriau a ddarllenodd.

Ymhen pum mlynedd yr oedd Awstin yn esgob yn ei ranbarth ei hun, Gogledd Affrica. Mae ei ysgrifeniadau ysbrydol - ei hunangofiant, "Cyffesion", a'r gwaith diwinyddol mawr, "Dinas Duw"- wedi bod yn glasuron y ffydd ym mhob oes.

Tŷ 'r Enaid

O Arglwydd, mae tŷ fy enaid yn gul;
ehanga ef, i'th alluogi di i ddod i mewn.
Mae'n adfeilion, O atgyweiria ef!
Mae'n wrthun i ti; Cyffesaf hynny, gwn hynny.
Ond pwy a'i glanha, ar bwy y llefaf ond arnat ti?
Glanha fi oddi wrth fy meiau cudd, O Arglwydd,
ac arbed dy was rhag pechodau dieithr.

Hwyrol Weddi

Gwylia, Arglwydd annwyl,
gyda'r rhai hynny sy'n effro, yn gwylio neu'n wylo heno,
a rho'r rhai sy'n cysgu yng ngofal dy angylion.
Ymgeledda dy gleifion, O Arglwydd Grist;
i'r rhai blinedig, dyro orffwys,
i'r rhai sy'n marw, dyro fendith,
i'r rhai sy'n dioddef, dyro esmwythâd.
Tosturia wrth dy rai cystuddiedig.
Gwarchod dy rai llawen.
A hynny er mwyn dy gariad di dy hun,
Amen.

Gweddi am Gymorth Duw

O Dduw, yr hwn y mae troi oddi wrthyt ti yn gwymp,
troi tuag atat yn gyfodi,
a sefyll gyda thi yn drigfan dragwyddol;
dyro i ni dy gymorth gyda'n holl ddyletswyddau,
dy arweiniad yn ein holl benbleth,
dy amddiffyn yn ein holl beryglon,
a'th dangnefedd yn ein holl alar,
trwy Iesu Grist ein Harglwydd,
Amen.

Te Deum

O'R BEDWAREDD GANRIF

Pan ddeuai'r Cristnogion cyntaf at ei gilydd i addoli yr oedd y rhai a oedd yn arwain y gwasanaethau yn gweddïo o'r frest. Ond cyn bo hir defnyddiwyd gweddïau safonol - gweddïau a oedd yn sicrhau bod y gynulleidfa yn clywed am rai o ffeithiau pwysicaf y ffydd. Gweddïau'r Beibl oedd cynsail rhai ohonynt. Cododd rhai eraill o fywyd yr eglwys.

Erbyn y bedwaredd ganrif, casglwyd gweddïau a ddefnyddid yn gyson mewn addoliad at ei gilydd a'u hysgrifennu mewn trefn gwasanaethau. Mae'r 'Te Deum', a gafodd ei enw o'i eiriau agoriadol Lladin, yn dyddio o'r cyfnod hwn.

Ti, Dduw, a folwn: ti a gydnabyddwn yn Arglwydd.
Yr holl ddaear a'th fawl di: y Tad tragwyddol.
Arnat ti y llefa'r holl angylion: y nefoedd a'r holl nerthoedd o'u mewn.
Arnat ti y llefa cerubiaid a seraffiaid: â lleferydd ddi-baid,
Sanctaidd, Sanctaidd, Sanctaidd: Arglwydd Dduw y lluoedd;
Nefoedd a daear: sydd yn llawn o'th ogoniant.
Gogoneddus gôr yr apostolion a'th fawl di:
moliannus nifer y proffwydi a'th fawl di.
Ardderchog lu y merthyron a'th fawl di:
yr Eglwys lân drwy'r holl fyd a'th addef di,
Y Tad o anfeidrol fawredd:
Dy anrhydeddus, wir, ac unig Fab;
hefyd yr Ysbryd Glân, y Diddanydd.
Ti, Grist, yw Brenin y gogoniant:
ti yw tragwyddol Fab y Tad.
Pan gymeraist arnat waredu dyn:
ni ddiystyraist fru y Wyryf.
Pan orchfygaist holl nerth angau:
agoraist deyrnas nef i bawb sy'n credu.
Ti sydd yn eistedd ar ddeheulaw Duw: yng ngogoniant y Tad.
Yr ŷm yn credu mai tydi a ddaw yn Farnwr arnom.
Gan hynny atolygwn i ti gynorthwyo dy weision;
a brynaist â'th werthfawr waed.
Pâr iddynt gael eu cyfrif gyda'th saint:
yn y gogoniant tragwyddol.

Padrig o Iwerddon

390? - 461?

Ganwyd nawdd sant Iwerddon rywle ar arfordir gorllewinol Lloegr neu'r Alban. Mae'r adroddiadau am y lle a'r adeg yn amrywio llawer. Pan oedd yn un ar bymtheg mlwydd oed fe'i cipiwyd gan forladron Gwyddelig a chadwyd ef yno'n gaethwas am chwe mlynedd. Tra roedd yn gwarchod diadell ei feistr dysgodd weddïo. "Mewn un diwrnod," meddai wrthym yn ei hunangofiant, "adroddwn gynifer â chant o weddïau ... byddwn yn aros yn y coedwigoedd ac ar y mynydd, a chyn y wawr fe fyddwn yn cael fy ysgogi i weddïo, mewn eira, rhew a glaw ... oherwydd yr adeg honno yr oedd yr ysbryd yn frwd oddi mewn."

Yn y diwedd llwyddodd i ddianc. Daeth o hyd i'w deulu drachefn a chafodd ei hyfforddi i fod yn offeiriad. Credir iddo gael ei anfon i Iwerddon fel cenhadwr gan y Pab a sefydlodd esgobaeth yn Armagh. Oddi yno teithiodd ar draws y wlad gan sefydlu eglwysi a mynachlogydd. Yr oedd yn ymwybodol iawn o'i ddiffyg addysg ac roedd yn awyddus i hybu addysg.

Ceir llawer o chwedlau amdano ond mae'n sicr mai Padrig yn anad neb a fu'n gyfrifol am droi Iwerddon at y ffydd Gristnogol. Ei ysgrifeniadau ef yw llenyddiaeth Gristnogol gynharaf gwledydd Prydain. Seiliodd awdur diweddarach y weddi hon ar un wreiddiol Padrig.

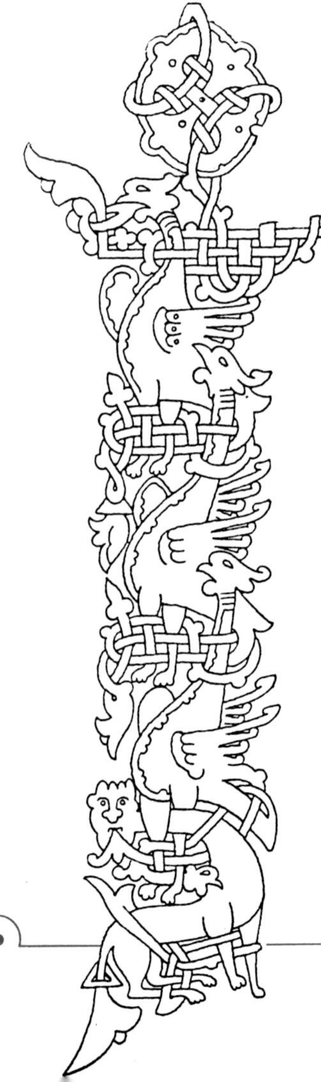

Y Llurig

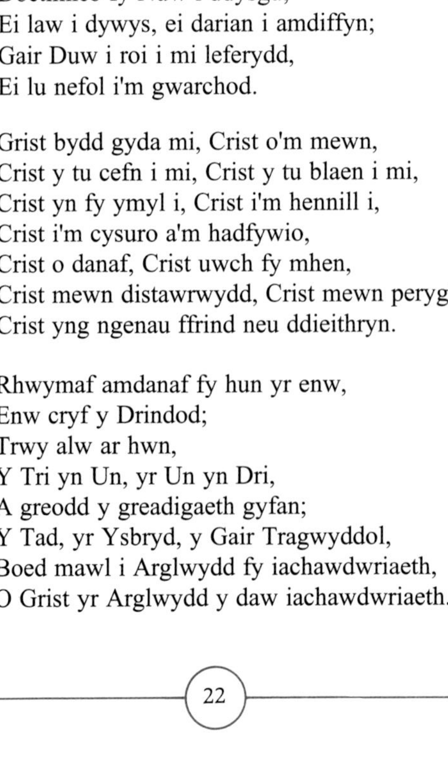

Rhwymaf amdanaf fy hun heddiw
Nerth Duw i gynnal ac i arwain,
Ei lygad i wylio, ei rym i ymddál,
Ei glust i wrando ar fy angen.
Doethineb fy Nuw i ddysgu,
Ei law i dywys, ei darian i amddiffyn;
Gair Duw i roi i mi leferydd,
Ei lu nefol i'm gwarchod.

Grist bydd gyda mi, Crist o'm mewn,
Crist y tu cefn i mi, Crist y tu blaen i mi,
Crist yn fy ymyl i, Crist i'm hennill i,
Crist i'm cysuro a'm hadfywio,
Crist o danaf, Crist uwch fy mhen,
Crist mewn distawrwydd, Crist mewn perygl,
Crist yng ngenau ffrind neu ddieithryn.

Rhwymaf amdanaf fy hun yr enw,
Enw cryf y Drindod;
Trwy alw ar hwn,
Y Tri yn Un, yr Un yn Dri,
A greodd y greadigaeth gyfan;
Y Tad, yr Ysbryd, y Gair Tragwyddol,
Boed mawl i Arglwydd fy iachawdwriaeth,
O Grist yr Arglwydd y daw iachawdwriaeth.

Y Llyfr Sacramentau Gelasiaidd

O'R SEITHFED NEU'R WYTHFED GANRIF

Yn eglwys fore'r Gorllewin galwyd y llyfr lle ceid trefn y gwasanaeth ar gyfer yr offeiriad yn "llyfr sacramentau". Ar bob llyfr sacramentau ceid enw'r arweinydd eglwysig parchus a oedd wedi cyfansoddi'r gweddïau neu wedi eu casglu ynghyd.

Cysylltir y llyfr sacramentau "Gelasiaidd" gyda Sant Gelasius, a fu'n Bab o'r flwyddyn 492 ymlaen. Fodd bynnag, mae'r llawysgrif hynaf o'r llyfr hwn sydd ar gael yn dyddio o'r wythfed ganrif. Mae'n debygol mai lleianod Chelles, gerllaw Paris, a'i hysgrifennodd.

Y weddi nodweddiadol a geir ym mhob llyfr sacramentau yw'r 'colect', gweddi fer a adroddir gan y gynulleidfa gyfan. Fel arfer mae'n dechrau trwy ddisgrifio sut un yw Duw, neu trwy gofio un o'i weithredoedd mewn hanes. Wedyn mae'n gofyn am fendith sy'n gysylltiedig â hyn. Mae'r rhan fwyaf o'r gweddïau sydd yn llyfrau gwasanaeth y Diwygiad Protestannaidd, a'r rhai diweddarach, gan gynnwys 'Y Llyfr Gweddi Gyffredin', yn dod o'r llyfrau sacramentau Rhufeinig cynnar.

Tragwyddol Dduw

GWEDDI A SEILIWYD AR UN O WEDDIAU AWSTIN

Dragwyddol Dduw,
goleuni'r meddyliau sy'n dy adnabod di,
bywyd yr eneidiau sy'n dy garu di,
nerth yr ewyllysiau sy'n dy wasanaethu di,
cynorthwya ni i'th adnabod di, fel y gallwn ni dy garu di'n iawn,
i'th garu di fel y gallwn ni dy wasanaethu di'n llwyr,
dydi, y mae dy wasanaethu yn rhyddid perffaith.

Colect ar gyfer yr Hwyr

Goleua ein tywyllwch, atolygwn i ti, O Arglwydd; ac o'th fawr drugaredd amddiffyn ni rhag pob perygl ac enbydrwydd y nos hon, trwy gariad dy unig Fab, ein Gwaredwr Iesu Grist. Amen.

Gweddïau Celtaidd

Yr oedd y Gwyddelod ymhlith y rhai cyntaf y tu allan i'r Ymerodraeth Rufeinig i ddod yn Gristnogion. Yn y bumed ganrif fe'u gwahanwyd oddi wrth weddill yr eglwys gan ymosodiadau'r barbariaid, a datblygodd eu ffyrdd o fyw ac addoli mewn modd unigryw. Nis unwyd hwy drachefn â gweddill yr eglwys hyd at yr unfed ganrif ar ddeg a'r ddeuddegfed ganrif.

Adloniant i'r uchelwyr oedd eu llenyddiaeth, fel llenyddiaeth yr ieithoedd Celtaidd eraill. Cyflogwyd ysgrifenwyr gan y llys i'r diben hwn. Yn ddiweddarach, pan ddadfeiliodd y gyfundrefn hon, daeth llên gwerin yn boblogaidd, ac mae llawer o'r gweddïau yn perthyn i'r cyfnod diweddarach hwn.

Deisyfiad Manchán o Liath

O'R NAWFED GANRIF

Dymunaf gael, O Fab y Duw byw, Frenin hynafol tragwyddol,
gaban dirgel yn yr anialwch i fod yn drigfan i mi.

Ffynnon las lachar i fod gerllaw iddo, pwll clir
i olchi pechodau ymaith trwy ras yr Ysbryd Glân.

Coedwig brydferth i'w amgylchynu ar bob ochr, i fod
yn feithrinfa i adar lu, i'w gysgodi ac i'w guddio.

Yn wynebu'r de er mwyn cynhesrwydd, nant fach ar draws ei
gae, pridd ffrwythlon i fod yn gynhysgaeth i bob planhigyn.

Ychydig o ddisgyblion doeth, fe bennaf eu rhif, gostyngedig ac
ufudd, i weddïo ar y Brenin.

Pedwar triawd, tri phedwarawd, yn medru darparu ar gyfer pob
angen, dau chwechawd yn yr eglwys, yn y de a'r gogledd.

Chwe phâr yn ogystal â mi, yn gweddïo drwy'r oesoedd hirion
ar y Brenin sy'n symud yr haul.

Eglwys hyfryd wedi ei haddurno â lliain main, preswylfa i Dduw'r
Nefoedd; wedyn, canhwyllau llachar dros yr Ysgrythurau gwyn
sanctaidd.

Un ystafell i fynd iddi i ofalu am y corff,
heb anlladrwydd, heb drythyllwch, heb
fyfyrio ar ddrygioni.

Dyma'r cadw tŷ a fynnwn i, buaswn yn ei
ddewis heb gelu: cennin ir sawrus, ieir,
eog brith, gwenyn.

Digon o fwyd a dillad gan y Brenin da ei
enw, ac i minnau gael eistedd ennyd i
weddïo ar Dduw ym mhob lle.

Haelioni Crist

TADHG ÓG Ó HUIGINN, BU FARW 1448

O Fab Duw, gwna wyrth drosof fi, a newid fy nghalon;
yr oedd hi'n fwy anodd i ti wisgo cnawd i'm gwaredu
na thrawsnewid fy nrygioni i.

Ti, er mwyn fy helpu i, a aethost i gael dy fflangellu ...
ti, blentyn annwyl Mair, yw metel tawdd coeth ein
ffwrnais ni.

Ti sy'n gloywi'r haul ynghyd â'r iâ; ti sy'n creu'r
afonydd a'r eogiaid yn llif yr afon.

Crefft brin, O Grist, yw peri i'r goeden gyll flodeuo;
trwy dy fedr daw'r cnewyllyn, tydi dywysen hardd ein
gwenith.

Er nad yw plant Efa yn haeddu'r heidiau adar a'r eog,
yr Un Anfarwol ar y groes a wnaeth yr eog a'r adar.

Ef sy'n gwneud i'r blodau dyfu o'r ddraenen ddu, a
blodyn y cyll ar y coed eraill; pa wyrth sy'n fwy na
hon?

Anselm

1033 - 1109

Yr oedd Anselm yn un o feddylwyr mwyaf goleuedig ei ddydd; dyma er enghraifft, ei syniadau am addysg:

"Pe baech yn plannu coeden yn eich gardd, a'i rhwymo ar bob tu, fel na allai ledu ei changhennau, pa fath o goeden fyddai honno pan ymledai ymhen blynyddoedd? Oni fuasai'n ddi-werth gyda'i changhennau wedi ymgordeddu yn ei gilydd? Ond dyna sut yr ydych chi yn trin eich bechgyn ...!"

Amlygwyd y cydymdeimlad hwn mewn gweithredoedd a amrywiai o ymgyrchu yn erbyn prynu a gwerthu caethweision i geryddu bachgen ysgol am rwymo coesau aderyn gyda'i gilydd.

Yr oedd Anselm yn fab i fonheddwr o Lombardi a oedd yn gwario arian yn afradus. Aeth oddi cartref ar ôl iddo gweryla gyda'i dad. Aeth i astudio o dan Lanfranc yn Bec yn Normandi. Yno arbenigai yng ngwaith Awstin ac ysgrifennodd weithiau diwinyddol pwysig. Ef oedd olynydd Lanfranc mewn dwy swydd - fel Abad Bec i ddechrau, wedyn fel Archesgob Caer-gaint. Er iddo gael ei alltudio ddwy waith gan y Brenin William Rufus, cymodwyd hwy a bu farw yn ei swydd pan oedd ar gyrraedd pedwar ugain mlwydd oed.

Dyheu am Dduw

O Arglwydd, ein Duw, dyro i ni ras
i ddyheu amdanat ti â'n holl galon,
fel y gallwn ni, o ddyheu amdanat ti,
dy geisio a'th gael di,
ac o'th gael di, dy garu di,
ac o'th garu di, gasáu'r pechodau hynny
yr wyt ti wedi'n gwaredu ni rhagddynt.

Galwad i Fyfyrio

Tyrd yn awr, ŵr bychan,
tro o'r neilltu am ennyd
o'th waith beunyddiol,
i ddianc o gynnwrf dy feddyliau.
Diosg dy ofalon trymion,
anwybydda'r pethau beichus sy'n tynnu dy sylw,
ymryddha am ysbaid a gorffwys yn Nuw.
Dos i mewn i siambr fewnol dy galon,
gan gau popeth allan ond Duw,
a'r hyn a all dy gynorthwyo i chwilio amdano Ef,
a phan fyddi wedi cau'r drws, chwilia amdano.
Dywed yn awr, fy nghalon,
"Dy wyneb a geisiaf,
Arglwydd, dy wyneb di a geisiaf."

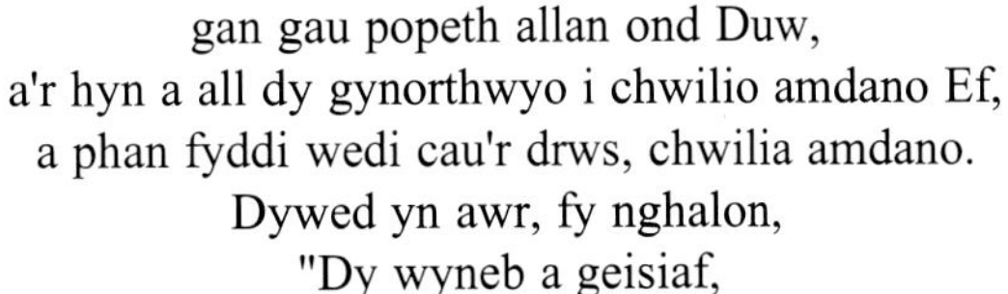

Ffransis o Assisi

1181 - 1226

"Y sant y mae pawb yn cytuno y dylid ei ganoneiddio." Dyna ddisgrifiad un cofiannydd o Ffransis, mab masnachwr defnyddiau cyfoethog.

Mewn rhyfel rhwng Assisi a Perugia carcharwyd Ffransis ac aeth yn wael iawn. Ar ôl iddo ddychwelyd i Assisi wedi bod ar bererindod i Rufain roedd yn gweddïo yn eglwys San Damiano, a oedd yn adfeilion, pan glywodd lais yn dweud, "Dos i atgyweirio fy nhŷ i". Gan gymryd hyn yn llythrennol fe werthodd rai o ddefnyddiau ei dad a chynnig yr arian i'r offeiriad i ailgodi'r eglwys.

Yn ddigon dealladwy, achosodd hyn helynt gyda'i deulu! Cyrhaeddodd y ffrwgwd ei hanterth pan ddiosgodd Ffransis ei ddillad i gyd yn y farchnadfa a'u rhoi yn ôl i'w dad. O hyn ymlaen ystyriai ei fod ef yn "briod â'r Arglwyddes Tlodi".

Gyda'r dillad a gafodd gan yr Esgob amdano a'r arian a gafodd o gardota yn ei boced aeth Ffransis ati i ailgodi San Damiano. Cyn bo hir ymunodd saith disgybl ag ef - blaenffrwyth yr hyn a dyfodd i fod yn Urdd enfawr y brodyr Ffransiscaidd. Yr oeddent yn byw mewn tlodi mawr, yn pregethu, yn llafurio ac yn gweindogaethu i'r tlodion.

Tyfodd llawer o storïau ynghylch Ffransis; storïau amdano'n pregethu i'r adar, yn dofi'r blaidd ac yn derbyn olion clwyfau Iesu. Ni wireddwyd ei freuddwyd o droi'r Saraseniaid at y ffydd Gristnogol. Aflwyddiannus fu ei ymgais i wneud hynny. Bu farw pan oedd yn bump a deugain, wedi ymlâdd o dan pwysau tlodi.

Cantigl yr Haul

O, yr un goruchaf, yr Hollalluog, Arglwydd Dduw
daionus, i ti y perthyn mawl, gogoniant,
anrhydedd, a phob bendith!
Moliannus fyddo fy Arglwydd Dduw am ei holl
greaduriaid, yn enwedig am ein brawd,
yr haul, sy'n dwyn y dydd atom,
a phob goleuni; prydferth yw ef,
yn disgleirio'n ysblennydd iawn;
mae'n dy arddangos di i ni O Dduw!
Moliannus fyddo fy Arglwydd am ein chwaer
y lleuad, ac am y sêr, a osododd
yn glir ac yn brydferth yn y nef.
Moliannus fyddo fy Arglwydd am ein brawd
y gwynt, am yr aer a'r cymylau,
yr ysbeidiau llonydd a phob tywydd
sy'n cynnal bywyd ym mhob creadur.
Moliannus fyddo fy Arglwydd am ein chwaer, y dŵr,
sy'n ddefnyddiol iawn i ni,
sy'n ostyngedig, gwerthfawr a glân.
Moliannus fyddo fy Arglwydd am ein brawd, y tân,
trwy yr hwn y rhoddi oleuni inni
yn y tywyllwch; mae ef yn llachar a
phleserus, yn nerthol a chryf.
Moliannus fyddo fy Arglwydd am y ddaear,
ein mam, sy'n esgor ar amryliw flodau
a ffrwythau, a phorfa.
Moliannus fyddo fy Arglwydd am bawb sy'n
maddau i'w gilydd er mwyn ei gariad ef,
sy'n dioddef gwendid a helbulon; bendigedig
yw'r rhai a ddioddefa'n dangnefeddus,
oherwydd fe roddi di, y Goruchaf, goron iddynt.
Moliannus fyddo fy Arglwydd am ein chwaer,
marwolaeth y corff, na all unrhyw un ddianc
rhagddi. Gwae yr hwn sy'n marw mewn
pechod marwol!
Bendigedig yw'r rhai a geir yn rhodio yn
ôl dy ewyllys, oherwydd
ni fydd gan yr ail farwolaeth unrhyw rym
i'w niweidio hwy.
Molwch a bendithiwch yr Arglwydd,
rhowch ddiolch iddo
a gwasanaethwch ef mewn
gostyngeiddrwydd mawr.

Sanctaidd Wyt Ti

Sanctaidd wyt ti, Arglwydd, yr unig Dduw
a'th weithredoedd yn rhyfeddol.
Nerthol ydwyt, mawr ydwyt.
Tydi yw'r Goruchaf, hollalluog ydwyt.
Tydi, Dad sanctaidd, yw Brenin nefoedd a daear.
Tri ac Un ydwyt, Arglwydd Dduw, holl ddaionus.
Da ydwyt, daioni digymysg, y daioni goruchaf,
Arglwydd Dduw, bywiol a gwir.
Cariad ydwyt, doethineb ydwyt.
Gostyngeiddrwydd ydwyt, dyfalbarhad.
Gorffwys ydwyt, tangnefedd ydwyt.
Llawenydd a llonder ydwyt, cyfiawnder a chymedroldeb.
Ein holl gyfoeth ydwyt, a digon wyt i ni.
Prydferthwch ydwyt, tynerwch ydwyt,
Ein hamdiffynnydd ydwyt, ein gwarcheidwad.
Dewrder ydwyt, ti yw ein hafan a'n gobaith.
Ti yw ein ffydd, ein cysur mawr.
Ti yw ein bywyd tragwyddol, Arglwydd mawr a rhyfeddol,
Dduw hollalluog, Geidwad trugarog.

Offeryn Dy Hedd

Er na ellir olrhain y weddi hon yn ôl yn bellach na'r bedwaredd ganrif ar bymtheg, fe'i cysylltir bob amser â Ffransis o Assisi. Yn sicr mae'n gydnaws â'i anian ef.

Arglwydd, gwna fi'n offeryn dy hedd.
Lle mae casineb, boed i mi hau cariad,
Lle mae camwedd, maddeuant,
Lle mae amheuaeth, ffydd,
Lle mae anobaith, gobaith,
Lle mae tywyllwch, goleuni,
Lle mae tristwch, llawenydd.

O Feistr Dwyfol, caniatâ i mi gysuro yn hytrach
na cheisio cael fy nghysuro,
i ddeall yn hytrach nag i geisio cael fy neall,
i garu yn hytrach na cheisio cael fy ngharu,
oherwydd wrth roi yr ydym yn derbyn,
wrth faddau yn ydym yn derbyn maddeuant,
wrth farw yr ydym yn deffro i fywyd tragwyddol.

Richard o Chichester

1197 - 1253

Mewn ffenestri lliw gwelir Richard yn aml gyda chwpan Cymun wrth ei draed. Yn ôl yr hanes gadawodd i'r cwpan syrthio un tro yn ystod y Cymun ond yn wyrthiol ni chollwyd diferyn o win!

P'un ai yw hyn yn wir ai peidio, yr oedd Richard de Wych yn ddiddadl yn ddyn sanctaidd. Yr oedd yn fab i ffermwr yn Droitwich yn Lloegr. Yr oedd yn hoff iawn o astudio ond gweithiai ar fferm er mwyn ennill tipyn rhagor o arian i'r teulu. Yn ddiweddarach astudiodd gyfraith eglwysig yn Rhydychen ac yn Ewrop. Pan oedd yn Rhydychen roedd mor dlawd nes ei fod yn gorfod rhannu gŵn y coleg ac un tiwnig gynnes gyda dau ffrind iddo, a mynd i'r darlithiau yn ei dro!

Penodwyd ef yn ganghellor Rhydychen gan ei gyfaill, Edmund Rich, Archesgob Caer-gaint. Yn ddiweddarach daeth yn gynorthwywr personol i'r un gŵr. Alltudiwyd y ddau ohonynt oherwydd eu daliadau gwleidyddol. Pan ddaeth yn ôl i Loegr penodwyd Richard yn Esgob Chichester ond gwrthododd y brenin roi'r breintiau materol a oedd yn perthyn i'r swydd iddo. Dewisodd Richard fyw gyda'r offeiriad plwyf. Tyfai ffigys ac ymwelai â'i esgobaeth trwy gerdded o le i le. Roedd yn gwisgo'n syml, yn bwyta llysiau ac yn rhoi'r rhan fwyaf o'i arian i'r tlodion. Fe'i disgrifiwyd fel "patrwm o esgob esgobaethol" a bu pobl yn pererindota at ei fedd hyd at yr unfed ganrif ar bymtheg.

Gweddi Feunyddiol

Diolch fo i ti,
Arglwydd Iesu Grist,
am yr holl fanteision
a enillaist ti i ni,
am yr holl boen a sen
a ddioddefaist drosom ni.
O Waredwr trugarocaf,
Ffrind a Brawd,
boed i ni dy adnabod di'n llwyrach,
dy garu'n anwylach,
a'th ddilyn yn agosach,
bob dydd o'n hoes.

Thomas o Acwin

1225 - 1274

Roedd Thomas yn ddyn tal, cydnerth, gyda phen moel a lliw haul ar ei groen. Am ei fod yn fawr ac yn ddistaw fel rheol yn ystod y trafodaethau diwinyddol, galwai ei ffrindiau ef "yr ych mud o Sicilia", ond proffwydodd ei feistr ym Mhrifysgol Cwlen yn gywir, y "clywid ei frefu ledled y byd cyn bo hir".

Penderfynodd Thomas pan oedd yn fyfyriwr yn Napoli y byddai'n ymuno â'r Dominiciaid, brodyr a oedd yn cardota. Er i'w deulu, a oedd yn deulu bonheddig, ei gipio, ni wnaeth hynny ei rwystro. Treuliodd weddill ei fywyd yn astudio, ysgrifennu a darlithio ar ddiwinyddiaeth ym Mharis a'r Eidal. Roedd ganddo allu anhygoel i ganolbwyntio, a gwyddys ei fod yn arddweud pethau wrth bedwar ysgrifennydd ar unwaith. Un tro roedd yn eistedd wrth fwrdd y brenin ym Mharis, wedi ymgolli yn ei fyfyrdodau; yn sydyn trawodd y bwrdd â'i ddwrn a gweiddi, "Dyna ddiwedd ar heresi'r Manicheaid!" Ar ôl iddo ymddiheuro anfonwyd am ysgrifennydd ar frys.

Dylanwadodd ysgrifeniadau Thomas ar sawl cenhedlaeth o ddiwinyddion. Ond ar 6 Rhagfyr 1272 cafodd ddatguddiad oddi wrth Dduw " a wnaeth i bopeth yr oeddwn wedi ei ysgrifennu ymddangos fel gwellt". Ni ysgrifennodd ddim ar ôl hyn.

Calon Ddiysgog

Dyro i mi, O Arglwydd, galon ddiysgog,
na all unrhyw gariad annheilwng ei darostwng;
dyro i mi galon anorchfygol,
na all unrhyw drallod ei blino;
dyro i mi galon gywir,
na all unrhyw ddiben annheilwng ei denu ar grwydr.
Dyro i mi hefyd, O Arglwydd fy Nuw,
y deall i'th adnabod di,
y dyfalbarhad i chwilio amdanat ti,
y doethineb i ddod o hyd i ti,
a'r ffyddlondeb i'th gofleidio di yn y diwedd,
trwy Iesu Grist ein Harglwydd, Amen

Cyfrinwyr yr Oesoedd Canol

O'R DRYDEDD A'R BEDWAREDD GANRIF AR DDEG

"Syr, mae maentumio eich bod wedi cael datguddiadau a rhoddion arbennig gan yr Ysbryd Glân yn beth echrydus, yn beth echrydus iawn," meddai'r Esgob Butler wrth John Wesley yn y ddeunawfed ganrif. Ond byddai llawer o Gristnogion yr oesoedd yn anghytuno ag ef. Awgrymodd yr Apostol Paul ei fod yntau wedi cael datguddiadau arbennig oddi wrth Dduw mewn profiad tebyg iawn i'r rhai a gafodd llawer o gyfrinwyr Cristnogol.

Mae cyfriniaeth yn pwysleisio ymchwil yr unigolyn am Dduw trwy'r ddisgyblaeth o weddïo a myfyrio'n ddwys. Gall hyn agor y drws i Dduw i gyfathrebu â'r enaid trwy brofiad o gariad, llawenydd a thangnefedd mawr; ond cyn cyrraedd y fan honno hwyrach y bydd yn rhaid ymlafnio trwy sychder ysbrydol a diflastod. Yn y drydedd a'r bedwaredd ganrif ar ddeg cafodd amryw y profiad cyfriniol ledled Ewrop, ac ysgrifennwyd l lawer o'r gweithiau clasurol ar y bywyd ysbrydol bryd hynny.

Mechthild o Magdeburg

1210? - 1280

Unig ferch teulu bonheddig o Sacsoni oedd Mechthild a aeth oddi cartref tua 1230 i fod yn Begîn, lleygwraig a oedd yn byw mewn cymuned, ond nad oedd wedi cymryd llwon. Rhoes ei chyffeswr orchymyn iddi gofnodi ei gweledigaethau o Dduw ac fe'u cyhoeddwyd o dan y teitl, "Goleuni'r Duwdod".

Arglwydd, gan dy fod ti wedi cymryd oddi
arnaf bopeth a roddaist i mi, o'th ras
dyro i mi'n rhodd yr hyn sydd gan bob ci
wrth reddf; y gallu i fod yn ffyddlon i ti
yn fy adfyd, pan nad oes gennyf unrhyw gysur.
Dymunaf hyn yn fwy na'th deyrnas nefol!

Johann Tauler

1300 - 1361

Roedd Tauler yn ddisgybl i'r athro cyfriniol o'r Almaen, Meister Eckart. Astudiodd athroniaeth a diwinyddiaeth yng Nghwlen a Pharis, ac ymunodd â'r Dominiciaid. Darllenodd llawer o bobl y pregethau a bregethodd i leianod am Dduw a'i anian. Yn y weddi hon mae'r myrr yn cynrychioli dioddefaint, a'r arogldarth addoliad.

Boed i Iesu Grist, brenin gogoniant, ein helpu
ni i ddefnyddio'r myrr y mae Duw'n ei anfon
yn iawn, ac offrymu iddo wir arogldarth ein
calonnau; er mwyn ei enw, Amen.

Julian o Norwich

GANWYD TUA 1342

Ychydig a wyddys am Julian ar wahân i'r hyn a ysgrifennodd hi ei hun yn ei llyfr hunangofiannol, "Datguddiadau o'r Cariad Dwyfol". Pan oedd hi'n wraig ifanc gweddïodd am gael gwell dealltwriaeth o ddioddefiadau Crist ac afiechyd corfforol i'w helpu'n ysbrydol. Pan oedd hi'n ddeg ar hugain mlwydd oed atebwyd y ddwy weddi. A hithau ar fin marw, cafodd hi'r gweledigaethau a ddisgrifir yn ei llyfr. Treuliodd weddill ei bywyd fel meudwy, yn myfyrio ar eu hystyr.

Arglwydd o'th daioni, dyro dy hun i mi; oherwydd digon
wyt i mi. Ni allaf ofyn am lai, i fod yn deilwng ohonot ti.
Pe bawn i'n gofyn am lai, anghenus fyddwn yn barhaus.
Ynot ti yn unig yr wyf yn meddu popeth.

Catrin o Siena

1347 - 1386

Pumed plentyn ar hugain lliwiwr o Siena oedd Catrin Benincasa. Am ei bod hi'n awyddus i gyflwyno ei bywyd i Dduw torrodd ei gwallt i ffwrdd, er mwyn ei gwneud ei hun yn llai deniadol i ddarpar wŷr. Ar ôl ei chosbi trwy ei thrin fel morwyn, o'r diwedd caniataodd ei rhieni iddi ymuno â'r lleianod Dominicaidd. Daeth cynifer i wybod amdani fel awdurdod ysbrydol fel bod pobl yn ymgynghori â hi,hyd yn oed wrth drafod cytundebau. Er na wnaeth hi erioed ddysgu darllen arddywedodd lawer o lythyrau ac un llyfr.

Môr dwfn wyt ti, O Drindod dragwyddol. Pellaf i mewn iddo y mentraf, mwyaf yn y byd yr wyf yn ei gael, a mwyaf yn y byd yr wyf yn ei chwennych. Ni chaiff yr enaid ei fodloni gan dy ddyfnder, oherwydd mae'n sychedu amdanat ti, y Drindod dragwyddol, yn barhaus, gan chwennych dy weld â'th oleuni di. Fel y mae'r hydd yn chwennych y ffynhonnau o ddŵr bywiol, felly y mae fy enaid yn chwennych gadael carchar y corff tywyll hwn a'th weld di mewn gwirionedd.

O ddyfnder, O Dduwdod tragwyddol, O Fôr dwfn, beth mwy na thi dy hun y medret ti ei roi i mi? Ti yw'r tân sy'n llosgi'n barhaus heb gael ei ddifa; yr wyt ti'n difa yn dy wres holl hunan-gariad yr enaid; ti yw'r tân sy'n dwyn ymaith yr oerfel; gyda'th oleuni goleua fi fel y gallaf ddirnad dy holl wirionedd di. Dillada fi, dillada fi â thi dy hun, wirionedd tragwyddol, fel y gallaf fyw'r bywyd marwol hwn mewn gwir ufudd-dod, ac yng ngoleuni dy ffydd sancteiddiaf.

Thomas à Kempis

1380 - 1471

Yn y bedwaredd ganrif ar ddeg gwelwyd symudiad tuag at adnewyddiad crefyddol ledled Ewrop. Roedd rhai Cristnogion yn ailddarganfod y profiad o gyfarfod â Duw yn uniongyrchol trwy fyfyrio; roedd eraill, megis dilynwyr Wycliffe yn Lloegr, yn cyfieithu'r Beibl i'w hiaith eu hunain ac yn ymgyrchu i sicrhau bod y bobl gyffredin yn cael mwy o le ym mywyd yr eglwys.

Yn yr Almaen cymundod a gynrychiolai'r gogwydd hwn oedd Brodyr y Bywyd Cyffredin, cymundod a geisiai hyrwyddo ymrwymiad dyfnach i Grist. Addysgwyd Thomas Hemerken, o Kempen gerllaw Cwlen, yn eu hysgol yn Deventer. Cafodd eu dysgeidiaeth ddylanwad mawr arno. Ym 1399 aeth i fyw at Y Canoniaid Rheolaidd yn Zwolle, fel brawd lleyg a oedd yn byw yn ôl y rheol fynachaidd. Ym 1406 daeth yn fynach. Treuliai ei amser yn ysgrifennu, yn pregethu ac yn copïo llawysgrifau. Ei lyfr enwocaf yw "Efelychiad o Grist" - y llyfr Cristnogol y bu mwyaf o ddarllen arno erioed.

Am Ddirnadaeth

Caniatâ i mi, O Arglwydd, i wybod yr hyn sy'n werth ei wybod,
i garu yr hyn sy'n werth ei garu,
i foli yr hyn sy'n rhyngu dy fodd di,
i drysori yr hyn sy'n werthfawr yn dy olwg di,
i gasáu yr hyn sy'n atgas gennyt ti.
Gwared fi rhag barnu yn ôl yr hyn a welaf,
na dedfrydu yn ôl yr hyn a glywaf,
ond i fedru dirnad yr hyn sydd yn rhagori,
ac uwchlaw pob dim i chwilio am,
a gwneud, yr hyn sydd wrth dy fodd di,
trwy Iesu Grist ein Harglwydd.

Torra Dy Enw

Pwy sy'n medru dweud beth a all ddigwydd mewn diwrnod?
Pâr i mi Dduw grasol,
felly fyw bob dydd, fel pe bawn yn byw
trwy ddiwrnod olaf fy mywyd oherwydd dichon
mai hynny a fydd. Pâr i mi fyw yn awr fel y dymunwn
fy mod wedi byw pan fyddaf farw.
Caniatâ na fyddaf farw gyda chydwybod euog,
heb edifarhau am unrhyw bechod y gwn i amdano,
ond y'm ceir yng Nghrist, fy unig
Geidwad a Gwaredwr.

Ar Ddechrau'r Dydd

Torra dy Enw, Arglwydd,
ar fy nghalon, i aros yno
wedi ei gerfio mor annileadwy,
fel na all na hawddfyd, nac adfyd,
fyth fy symud i o'th gariad di.
Bydd i mi'n dŵr cadarn, yn gysur
mewn trallod, yn waredwr
mewn blinder, yn gymorth
hawdd i'w gael mewn cyfyngder,
ac yn arweinydd i'r nefoedd trwy aml
demtasiynau a pheryglon y bywyd hwn.

Ymostwng i Ewyllys Duw

Gwyddost ti, Arglwydd, beth sydd orau i mi. Gwneler y peth hyn neu'r peth arall, fel y mynni di. Dyro i mi yr hyn a fynni, faint a fynni a pha bryd bynnag y mynni.

Desiderius Erasmus

1469? - 1536

Erasmus oedd prif ysgolhaig ei gyfnod. Ysgrifennodd yn agored yn erbyn llygredd yn yr eglwys Gatholig, ond ni ymunodd â'r Protestaniaid. Serch hynny, fe waharddwyd ei ysgrifeniadau, a oedd yn hybu heddwch a rhyddid crefyddol yn barhaus, gan ddau bab. Cafodd ei addysgu gan Frodyr y Bywyd Cyffredin, cymuned o leygwyr Cristnogol.

Ymunodd Erasmus, braidd yn anfoddog, ag urdd o ganoniaid Awstinaidd. Ond ymadawodd â'r bywyd mynachaidd yn fuan er mwyn parhau i astudio'r clasuron a'r tadau eglwysig. Teithiodd i Baris ac i Loegr. Yno cyfarfu â Thomas More ac ysgrifennu'r llyfr ffraeth, 'Encomium Morae' ("Mawl i Ffolineb") y mae ei deitl yn air mwys ar enw ei ffrind. Ar ôl dysgu Groeg yng Nghaer-grawnt ymgartrefodd Erasmus yn Basel. Yno parhaodd i astudio ac ysgrifennu, gan wrthod llawer o swyddi gwleidyddol er mwyn cadw'r rhyddid a brisiai gymaint.

Bod yn Bopeth i Ti

Gwahana fi oddi wrthyf fy hun fel y gallaf fod yn ddiolchgar i ti;
boed i mi ymwrthod â mi fy hun fel y gallaf fod yn ddiogel ynot ti;
boed i mi farw i mi fy hun fel y gallaf fyw ynot ti;
boed i mi wywo i mi fy hun fel y gallaf flodeuo ynot ti;
boed i mi gael fy ngwacáu ohonof fi fy hun fel y gallaf fod yn helaeth ynot ti;
boed i mi fod yn ddim i mi fy hun fel y gallaf fod yn bopeth i ti.

Y Ffordd, y Gwirionedd a'r Bywyd

O Arglwydd Iesu Grist,
dywedaist mai ti yw'r ffordd,
y gwirionedd, a'r bywyd.
Na ad i ni grwydro oddi arnat ti, y ffordd,
na'th amau di, y gwirionedd,
nac ymfodloni ar unrhyw beth ond arnat ti,
y bywyd.

Gweddïau a Gyfansoddwyd ar Gyfer Ysgol S.Paul, Llundain

Gwrando ein gweddïau, O Arglwydd Iesu Grist, tragwyddol ddoethineb y Tad. Yr wyt yn rhoddi i ni, yn nyddiau ein hieuenctid, y gallu i ddysgu. Ychwanega, gweddïwn arnat, dy ras ymhellach, i ni fedru dysgu gwybodaeth o'r gwyddorau, fel y gallwn, gyda'u cymorth, ddysgu mwy amdanat ti, yr hwn y mae dy adnabod yn benllanw gwynfyd; a thrwy esiampl dy fachgendod, y cynyddwn mewn oedran, doethineb a ffafr gyda Duw a dyn.

Dros Rieni

O Arglwydd Dduw, sy'n ewyllysio ein bod ni, ar ôl rhoi'r parch pennaf i ti, yn rhoi'r parch dyladwy i'n rhieni hwythau; nid y lleiaf o'n dyletswyddau yw erfyn am dy ddaioni arnynt. Cadw, erfyniaf, fy rieni a'm cartref, mewn cariad at dy ffydd ac mewn iechyd corff a meddwl. Na foed i unrhyw ofid ddod i'w rhan trwof fi; ac yn olaf, fel y maent hwy'n garedig i mi, bydd dithau yn garedig iddynt hwy, O Dad pawb oll.

Thomas More

1478 - 1535

Roedd gan y ddrama a'r ffilm"A Man for All Seasons" a ymddangosodd yn y 1960au, bwnc a oedd yn anarferol yn y cyfnod: cyfyng-gyngor moesol ysgolhaig o'r unfed ganrif ar bymtheg a oedd yn gorfod dewis rhwng teyrngarwch gwleidyddol a theyrngarwch crefyddol. Roedd eu llwyddiant yn deyrnged i apêl parhaol y dyn hwn.

Gyda'i ffrind, Erasmus, roedd More ar flaen y gad yn yr adfywiad mawr ym myd dysg a syniadau. Yn ei lyfr, "Utopia", amlinellodd ei weledigaeth am ddiwygiad gwleidyddol llwyr, o dan gochl cymdeithas ddelfrydol. Am ei fod yn siaradwr gwefreiddiol cafodd gyfres o swyddi yn llywodraeth y Brenin Harri'r VIII, a phan syrthiodd Cardinal Wolsey, a fu'n noddwr iddo gynt, daeth yn Ganghellor y Trysorlys. Ond cododd cythrwfl dros ysgariad arfaethedig Harri. Ni chefnogai More mohono, ac ni thyngai lw o ffyddlondeb i Harri fel pen yr eglwys yn Lloegr. "Rydw i'n was da i'r Brenin" meddai "ond gwas Duw ydw i yn gyntaf". Canlyniad y datganiad hwn oedd ei ddienyddio.

Roedd More yn ddyn ffraeth, deniadol a chariadus. Hyd yn oed ar y grocbren gwelwyd ei gymeriad siriol a phenderfynol. "Helpa fi i fyny," meddai wrth ei ddienyddiwr. "Fe alla i ymdopi wrth ddod i lawr." Ysgrifennwyd y weddi ganlynol ryw wythnos cyn ei farwolaeth.

Dyro i Mi, Arglwydd Da

Gogoneddus Dduw, dyro i mi ras i ddiwygio fy mywyd, ac i wynebu fy niwedd heb warafun gwerth marwolaeth, sy'n borth bywyd cyfoethog i'r rhai sy'n marw ynot ti, Arglwydd da.

A dyro i mi, Arglwydd da, feddwl gostyngedig, isel, tawel, amyneddgar, cariadus, caredig, tyner, a thrugarog, fel y caf, yn fy holl eiriau a'm holl feddyliau, flas o'th Ysbryd sanctaidd, bendigaid, di.

Dyro i mi, Arglwydd da, ffydd gyflawn, gobaith cadarn, cariad brwd, a chariad tuag atat ti sy'n anhraethol fwy na chariad tuag ataf fi fy hun.

Dyro i mi, Arglwydd da, ysfa i fod gyda thi, nid i osgoi trallodion y byd hwn, nac i ennill llawenydd y nef, eithr yn unig am fy mod yn dy garu di.

A dyro i mi, Arglwydd da, dy gariad a'th ffafr, na fyddai fy nghariad i atat ti, pa mor fawr bynnag y byddai hwnnw, yn ei haeddu oni bai am dy ddaioni mawr di.

Y pethau hyn y gweddïaf amdanynt, Arglwydd da, dyro i mi ras i lafurio amdanynt.

Gweddïau'r Diwygwyr

YR UNFED GANRIF AR BYMTHEG

Munud fwyaf ddramatig y Diwygiad Protestannaidd yn ddiamau oedd y funud honno pan hoeliodd Martin Luther ei naw deg pum pwynt trafod, ar ddrws yr eglwys gadeiriol yn Wittenberg. Ond yr oedd ei weithred, yn ogystal â bod yn uchafbwynt cyfnod hir o baratoi, hefyd yn ddechrau canrif neu ragor o ddadlau brwd, o feddwl, o weddïo ac o ysgrifennu.

Ledled Ewrop yr oedd eraill, fel Luther, yn ceisio adfer yr eglwys i sylfeini'r ffydd trwy dynnu ymaith yr ychwanegiadau a oedd, yn raddol, wedi cuddio neges Iesu. Darganfu llawer ohonynt na fedrent wneud hyn heb dorri i ffwrdd oddi wrth eglwys Gatholig eu cyfnod. Daethant, yn anfoddog yn aml, yn sylfaenwyr mudiad newydd - yr eglwys Brotestannaidd.

Martin Luther

1483 - 1546

Daeth Luther, mab glöwr o Sacsoni, yn fynach i gyflawni llw a wnaeth yn ystod storm o fellt a tharanau. Ar ôl astudio athroniaeth daeth yn ddarlithydd ym mhrifysgol newydd Wittenberg, a chyn bo hir roedd yn Ddoethur mewn Diwinyddiaeth ac yn athro Ysgrythur. Pan boenydiwyd ef gan amheuon ynghylch ei safle gerbron Duw, tua 1512, cafodd y sicrwydd mai trwy ffydd yng Nghrist yn unig y gallai fod yn gadwedig. O hynny ymlaen ymladdai yn erbyn popeth yn yr eglwys a oedd yn gwrthddweud hyn.

Oherwydd ei ymgyrchu bu'n rhaid iddo sefyll ei brawf ar gyhuddiad o heresi. Dyna pryd y llefarodd y geiriau enwog, "Yma y safaf. Ni fedraf wneud dim amgen." Cafodd ei esgymuno a'i garcharu er mwyn ei ddiogelwch ei hun. Ond daeth yn enwog a chafodd lawer o gefnogaeth. Ysgrifennai lawer iawn a bu ei gyfieithiad o'r Beibl i iaith y bobl yn gyfraniad pwysig i ddatblygiad yr Almaeneg fodern.

Y Llestr Gwag

Wele, Arglwydd, lestr gwag y dylid ei lenwi. Llanw di ef, fy Arglwydd. Gwan ydwyf fi yn y ffydd; nertha fi. Oer yw fy nghariad i, cynhesa fi a gwna fi'n frwd, er mwyn i'm cariad ymestyn at fy nghymydog. Nid oes gennyf ffydd gadarn, ddiysgog; weithiau rydw i'n amau ac yn methu'n lân ag ymddiried yn llwyr ynot ti. Helpa fi, O Arglwydd. Cryfha fy ffydd a'm hymddiriedaeth ynot ti. Ynot ti y seliais drysor y cyfan sydd gennyf. Tlawd ydwyf fi; yr wyt ti'n gyfoethog ac wedi dod i drugarhau wrth y tlawd. Pechadur ydwyf fi a thithau'n uniawn. Ynof fi mae lliaws o bechodau; ynot ti mae helaethrwydd o uniondeb. Arhosaf, felly, gyda thi, yr hwn y gallaf dderbyn oddi wrtho, ond na allaf roi dim iddo.

Miles Coverdale

1488 - 1568

Cyfraniad mawr Miles Coverdale, mynach Awstinaidd a ddaeth yn gefnogwr y Diwygiad Protestannaidd, oedd cyfieithu'r Beibl i Saesneg ei gyfnod. Yn ystod teyrnasiad Mari Tudur alltudiwyd ef i Genefa lle cyfieithodd lawer o weithiau'r diwygwyr Protestannaidd.

Mewn Erledigaeth

O Dduw, dyro amynedd i ni pan fydd y drygionus yn ein dolurio. O mor ddiamynedd a dig yr ydym ni pan feddyliwn ein bod ni wedi cael ein henllibio, ein difenwi a'n dolurio ar gam! Mae Crist yn dioddef ergydion ar ei foch, y dieuog dros yr euog; eto ni ddioddefwn ni yr un gair chwithig er ei fwyn ef. O Arglwydd, dyro i ni rinwedd ac amynedd, gallu a grym, fel y gallwn dderbyn pob adfyd gydag ewyllys dda, a'i oresgyn gyda meddwl addfwyn. Ac os bydd anghenraid a'th anrhydedd di yn hawlio ein bod ni yn llefaru, gad i ni wneud hynny yn fwyn ac yn amyneddgar, fel bod dy wirionedd a'th ogoniant di'n cael eu hamddiffyn, a'n hamynedd a'n dyfalbarhad parhaus ninnau'n amlwg.

Thomas Cranmer

1489 - 1556

Yr oedd Thomas Cranmer, a oedd yn Archesgob Caer-gaint yn nheyrnasiad y Brenin Harri'r VIII, yn ddyn gwybodus iawn. Roedd ei lyfrgell bersonol yn fwy na llyfrgell Prifysgol Caer-grawnt a gallai ddarllen Lladin, Groeg, Hebraeg, Ffrangeg, Eidaleg ac Almaeneg. Ym 1538 gorchmynnodd fod cyfieithiad Saesneg o'r Beibl yn cael ei osod ym mhob eglwys ac yn cael ei ddarllen ar goedd yn rheolaidd. Ond ei gamp fawr oed llunio'r "Llyfr Gweddi Gyffredin", trefn gwasanaeth Saesneg a gyhoeddwyd ym 1549, i gymryd lle'r gwasanaethau Lladin Canol Oesol cymhleth. Trwy ddefnyddio gweddïau hen a newydd newidiodd addoliad yr eglwys o fod yn seremoni ddirgel a oedd yn cael ei gwylio gan y gynulleidfa, i fod yn weithred o addoliad y gallai pawb ymuno ynddi. Fe'i merthyrwyd ef yng nghyfnod Mari Tudur ond mae ei waith, ar ffurf ddiwygiedig, yn dal i gael ei ddefnyddio bedwar can mlynedd yn ddiweddarach.

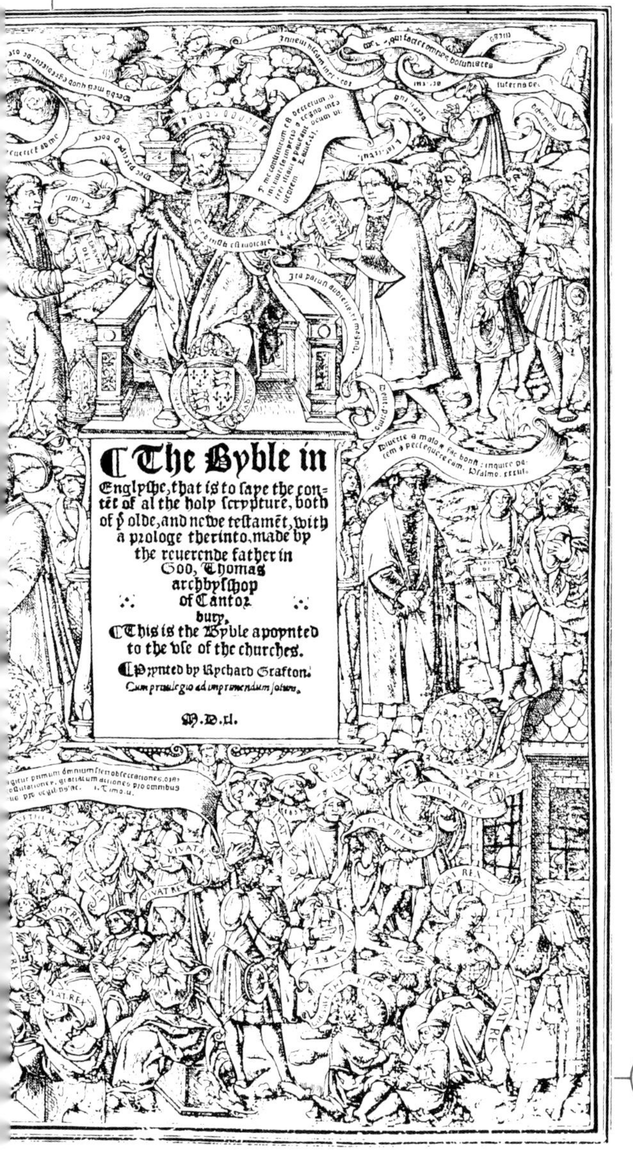
¶ The Byble in Englyshe, that is to saye the contēt of al the holy scrypture, both of ÿ olde, and newe testamēt, with a prologe therinto, made by the reuerende father in God, Thomas archbyshop of Cantorbury.
¶ This is the Byble apoynted to the vse of the churches.
¶ Prynted by Rychard Grafton.
Cum priuilegio ad imprimendum solum.
M.D.xl.

Colect ar Gyfer yr Adfent

Hollalluog Dduw,
dyro inni ras i ymwrthod â gweithredoedd y tywyllwch,
ac i wisgo arfau'r goleuni,
yn awr yn y bywyd marwol hwn,
a brofwyd gan dy Fab Iesu Grist pan ymwelodd â ni
mewn gostyngeiddrwydd mawr;
fel y bo i ni yn y dydd diwethaf,
pan ddaw drachefn yn ei ogoneddus fawredd
i farnu'r byw a'r meirw,
gyfodi i'r bywyd anfarwol;
trwyddo ef sy'n byw ac yn teyrnasu gyda thi
a'r Ysbryd Glân,
yr awr hon ac yn dragywydd,
Amen.

Colect ar Gyfer y Garawys

Hollalluog a thragwyddol Dduw,
nad wyt yn casáu un dim a wnaethost,
ac wyt yn maddau pechodau pawb sy'n edifeiriol:
crea a gwna ynom galonnau newydd a drylliedig,
fel y bo i ni, gan ofidio'n ddyledus am ein pechodau,
a chyfaddef ein trueni, gael gennyt ti, Dduw'r holl
drugaredd, faddeuant a gollyngdod llawn;
trwy Iesu Grist ein Harglwydd,
Amen.

Philip Melanchthon

1497 - 1560

Llysenwyd Philip Scwarzerd yn "Melanchthon" (ei gyfenw mewn Groeg) am fod ganddo ddiddordeb mewn astudiaethau Groegaidd. Yr oedd yn ffrind i Luther ac yn un o'i gyd-ddarlithwyr. Cyhoeddodd waith cynnar Luther, ac ysgrifennodd i'w amddiffyn o dan yr enw 'Didymus Faventinus'.

Gweddi am Undeb

Arnat ti, O Arglwydd Iesu Grist, Fab Duw, wrth i ti weddïo ar y Tad tragwyddol, y gweddïwn; gwna ni'n un ynddo ef. Ysgafnha ein trallod ni a thrallod ein cymdeithas. Derbyn ni i gymdeithas y rhai sy'n credu. Tro ein calonnau, O Grist, at y gwirionedd tragwyddol a'r cytgord sy'n cyfannu.

John Calfin

1509 - 1564

Ganwyd Calfin yn Picardie yn Ffrainc. Bwriadai fynd yn offeiriad ond rhoes y gorau i'r syniad ar ôl cael gweledigaeth a oedd yn ei alw i adfer yr eglwys i'w phurdeb gwreiddiol. Yn ystod erledigaeth aeth i Basel a dechrau ysgrifennu ei waith mawr, "Bannau'r Grefydd Gristnogol". Ymgartrefodd yng Ngenefa a dechreuodd ymgyrchu dros ddiwygiad moesol, mewn ymgais i wneud y ddinas yn ganolfan bywyd Cristnogol. Erbyn ei farwolaeth, ef oedd yn rheoli bywyd gwleidyddol a chrefyddol Genefa. Pwysleisiai bechadurusrwydd dyn, gallu Duw a phwysigrwydd y Beibl.

Cyn Darllen yr Ysgrythur

O Arglwydd, Dad nefol, yn yr hwn y mae cyflawnder, goleuni a doethineb, goleua ein meddyliau trwy dy Ysbryd Glân, a dyro i ni ras i dderbyn dy Air gyda pharch a gostyngeiddrwydd, heb yr hwn ni all unrhyw un ddeall dy wirionedd, er mwyn Iesu Grist, Amen.

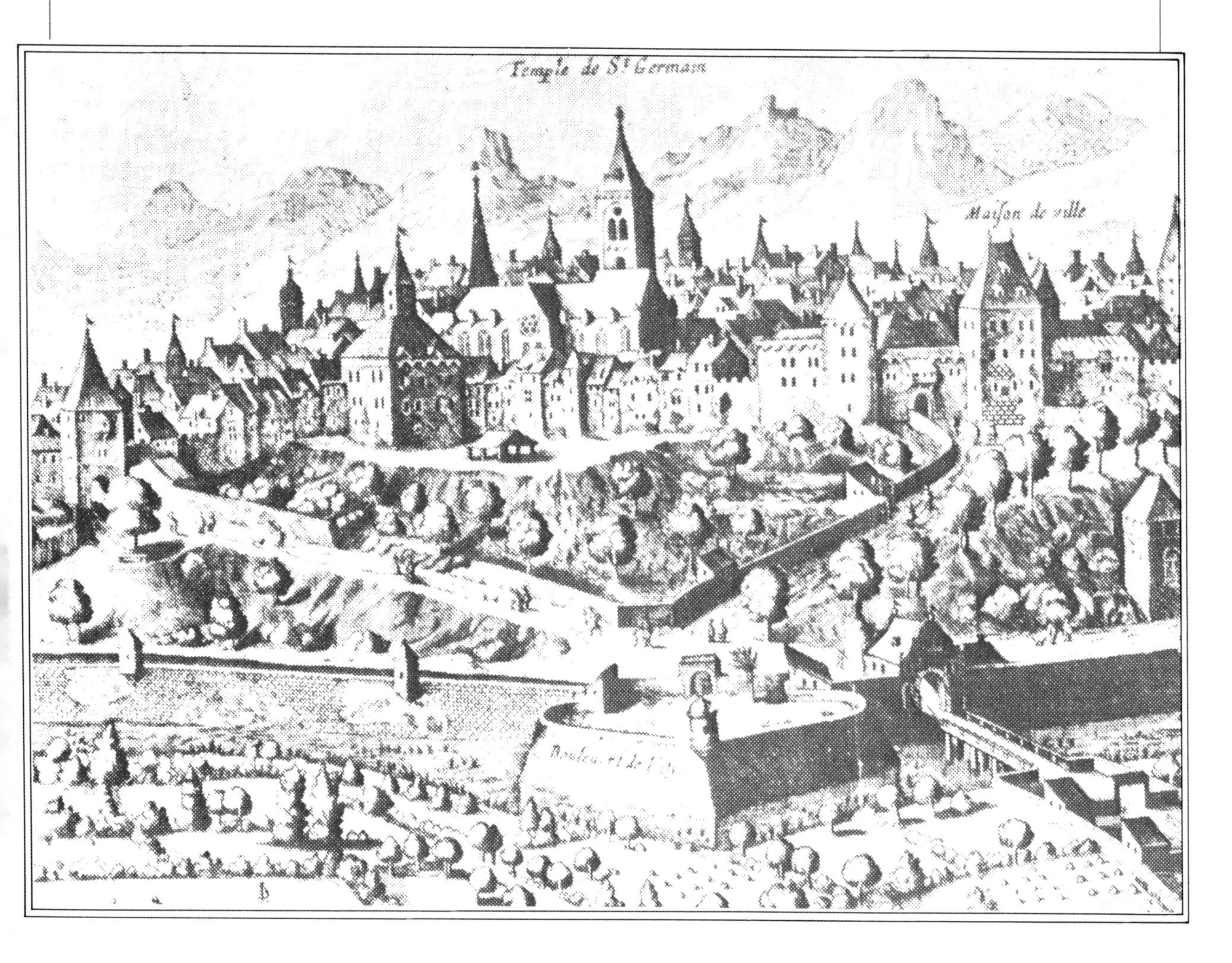

John Knox

1513 - 1572

Cyn iddo ddod yn bregethwr enwog yr oedd John Knox yn nodiadur ac yn diwtor preifat. Ef yn anad neb a fu'n gyfrifol am lunio llyfr gweddi'r Alban. Bu'n gaplan i Edward VI o Loegr ac yn ddiweddarach bu'n ymryson yn ffyrnig â Mari, Brenhines yr Albanwyr. Am ei bod hi'n Babyddes ac yn byw bywyd bydol ystyriai ei bod hi'n wraig anfoesol.

Bendith mewn Priodas

Yr Arglwydd a'ch sancteiddio ac a'ch bendithio chwi,
tywallted yr Arglwydd gyfoeth ei ras arnoch,
fel y galloch ryngu ei fodd ef
a byw ynghyd mewn cariad sanctaidd
hyd ddiwedd eich oes.
Boed felly.

Ignatius o Loyola

1491 - 1556

Magwyd Ignatius, yr ieuengaf o un plentyn ar ddeg uchelwr o Wlad y Basg, i fod yn filwr. Pan oedd yn orweddog ar ôl iddo glwyfo'i goes yn ddrwg mewn brwydr, gofynnodd am gael straeon rhamantaidd am farchogion i'w darllen. Rhoddwyd iddo yn lle hynny hanes bywyd Crist a chasgliad o storïau am y saint. Roedd yn ddechrau bywyd newydd iddo.

Treuliodd Ignatius flwyddyn yn gwneud penyd ac yn gweddïo, yna dechreuodd ysgrifennu ei waith mawr, "Yr Ymarferion Ysbrydol". Ar ôl iddo gael ei garcharu am gyfnod fel heretig gadawodd Sbaen ac aeth i Baris i astudio Lladin ac athroniaeth. Cafodd radd meistr pan oedd yn dair a deugain mlwydd oed. Ym Mharis casglodd chwech o ddisgyblion o'i gwmpas. Y rhain oedd cnewyllyn mudiad newydd - Cwmni Iesu neu'r Jeswitiaid. Eu hamcan oedd rhoi sail ysbrydol a deallusol i adfywiad Catholig mewn ymateb i dwf Protestaniaeth. Ignatius oedd eu cadfridog. Seiliodd ei arweiniad ar awdurdod milwrol a hawliai ufudd-dod llwyr. Erbyn iddo farw yr oedd mil o Jeswitiaid yn ymwneud ag addysg, cenhadaeth dramor a gwasanaeth cymdeithasol.

Yn ogystal â bod yn ddyn a feddai ewyllys gref yr oedd Ignatius hefyd yn ddyn ysbrydol iawn. Fel myfyriwr ym Mharis ceisiodd redeg drwy'r ferf Ladin 'amare' (caru) ond ni allai wneud dim ond ailadrodd dro ar ôl tro, "Yr wyf yn caru Duw ... Mae Duw yn fy ngharu i."

Ymgyflwyno i Dduw

Dysg ni, Arglwydd,
i'th wasanaethu fel yr haeddi;
i roi heb gyfri'r gost;
i frwydro heb ystyried y clwyfau;
i weithio heb geisio gorffwys;
i lafurio heb ddisgwyl unrhyw wobr
ond gwybod ein bod yn gwneud dy ewyllys di.

Gweddi o Ymostyngiad

Cymer, Arglwydd, fy rhyddid,
fy nghof, fy neall,
a'm hewyllys i gyd.
Ti a roddaist bob peth i mi,
gwnaethost fi yr hyn ydwyf,
cyflwynaf y cyfan i'th ewyllys ddwyfol di,
gwna fel y mynni â mi.
Dyro i mi'n unig dy ras a'th gariad di.
Gyda'r rhain cyfoethog ydwyf,
nid oes rhaid imi ofyn am ragor.

Gweddi Primlyfr Caersallog

1514?

Daw teitl y weddi hon o lyfr a gyhoeddwyd ym 1558 yn ninas Ganol Oesol Saesneg Caersallog (a elwid wrth ei henw Lladin, 'Sarum'). Ond mae'n rhaid ei bod wedi cael ei hysgrifennu yn gynt na hynny oherwydd fe'i ceir mewn "llyfr o oriau", neu lyfr gwasanaethau preifat, yng ngholeg Clare, Caer-grawnt, sy'n dyddio o 1514. Ymddengys ei bod wedi cael ei defnyddio fel gweddi breifat a adroddwyd cyn darllen y gwasanaethau beunyddiol. Ym 1908 cyhoeddwyd hi ar ffurf emyn, ar gerddoriaeth a gyfansoddwyd gan Syr Walford Davies, a daeth yn boblogaidd iawn, yn enwedig yn ysgolion gwledydd Prydain.

Duw fo yn fy mhen
ac yn fy neall;
Duw fo yn fy llygaid
ac yn fy edrychiad;
Duw fo yn fy ngenau
ac yn fy llefaru;
Duw fo yn fy nghalon
ac yn fy meddwl;
Duw fo yn fy niwedd
ac yn fy ymadawiad.

Teresa o Avila

1515 - 1582

Pan oedd hi'n blentyn bach roedd Teresa a'i brawd yn chwarae "meudwyaid" gyda'i gilydd. Un tro rhedodd y ddau i ffwrdd i "farw fel merthyron ym Moroco". Pan oedd yn ei harddegau roedd hi'n treulio'i hamser yn darllen rhamantau ac yn ymddiddori yn y ffasiynau, ond yn ystod salwch darllenodd weithiau Sierôm a phenderfynu ei bod hi am fod yn lleian. Er gwaethaf gwrthwynebiad ei thad aristocrataidd aeth i'r lleiandy pan oedd hi'n ugain mlwydd oed.

Roedd lleiandai yn lleoedd eithaf braf yn y cyfnod hwnnw, ac roedd Teresa'n cael bywyd pleserus. Ond ym 1553 cafodd weledigaeth o Dduw a weddnewidiodd ei bywyd. Ar ôl cael ei dilorni am ei gweledigaethau sefydlodd gwfaint arall gyda rheol buchedd mwy caeth yn Avila, ei thref enedigol. Dyma ddechrau urdd newydd, y Carmeliaid 'troednoeth'.

Gwisgai lleianod Teresa wisgoedd a wnaed o ddefnydd brown bras; ni chaent gig i'w fwyta a gweithient yn galed â'i dwylo. Gweithiai Teresa gyda hwy. Yr oedd hi'n ofalus pwy a ddewisai fel ymgeiswyr: "Duw a'n gwaredo rhag lleianod twp!" oedd ei chri. Yn ei llyfrau ceir cyfuniad o ogwydd ymarferol iawn at y bywyd crefyddol a chariad dwfn at Dduw. Bu farw ar ei ffordd adre ar ôl iddi sefydlu ei hunfed cwfaint ar bymtheg.

Defosiynau Dwl

Rhag defosiynau dwl
a seintiau wyneb sur,
gwared ni, Arglwydd daionus.

Llyfrnod Teresa

Na foed i ddim eich cynhyrfu chwi;
na foed i ddim eich cyffroi chwi;
derfydd popeth:
erys Duw.
Caiff amynedd
bopeth y mae'n ymgyrraedd ato.
Gwêl yr hwn y mae Duw ganddo
nad oes arno angen dim:
Duw yn unig sy'n digoni.

Corff Crist

Bellach nid oes gan Grist gorff ar y ddaear ond eich corff chwi;
gyda'ch dwylo chwi yn unig y gall wneud ei waith,
â'ch traed chwi yn unig y gall droedio'r byd,
trwy eich llygaid chwi yn unig y gall ei dosturi
lewyrchu ar fyd cythryblus.
Bellach nid oes gan Grist gorff ar y ddaear ond eich corff chwi.

John Donne

1571 - 1631

"Ail Awstin Sant", dyna sut y disgrifiwyd Donne gan Isaac Walton a ysgrifennodd y cofiant cyntaf iddo. Fel Awstin roedd Donne yn hoff o ferched ac mae ei gerddi "halogedig" yn disgrifio cyfres o'r rhai a fu'n cyd-fyw gydag ef - a brwydr hir i ddod o hyd i'w ffydd.

Am dipyn bu'n ystyried ymuno â'r Eglwys Gatholig Rufeinig ond yn y diwedd gadawodd ei swydd fel cyfreithiwr ac ordeiniwyd ef yn offeiriad yn Eglwys Loegr. Ychydig flynyddoedd ar ôl iddo gael ei ordeinio cafodd ei benodi'n Ddeon Eglwys Gadeiriol St. Paul yn Llundain, lle y gellir gweld cerflun ohono o hyd. Roedd ei bregethau, fel ei gerddi, yn enwog am eu delweddau grymus a'u hiaith drawiadol. Tarddai eu huodledd o ffydd frwd a oedd yn cyfuno ei ddeall a'i emosiynau.

Gweledigaeth o'r Nefoedd

Tywys ni, O Arglwydd Dduw, yn y deffro olaf i
mewn i borth a thŷ'r nefoedd, i fynd i mewn i'r
porth a thrigo yn y tŷ hwnnw, lle ni fydd tywyllwch
na disgleirdeb, ond un goleuni cyfartal; dim twrw
na thawelwch, ond un gerddoriaeth gyfartal; dim ofnau
na gobeithion, ond un tragwyddoldeb cyfartal, yn
nhrigfannau dy fawrhydi a'th ogoniant di, fyth bythoedd.

Dibynnu ar Dduw

O Arglwydd,
gwared ni rhag meddwl
y gallwn sefyll ar ein pennau ein hunain,
ac nad oes arnom dy angen di.

Gweddi Gwraig sy'n Heneiddio

ANHYSBYS

Tadogir y weddi hon fel arfer ar leian o'r ail ganrif ar bymtheg ond mewn gwirionedd ni wyddys pwy yw'r awdur - ond mae'r hyn a ddywedir ynddi'n ddigon cyfarwydd!

Arglwydd, gwyddost yn well nag y gwn i fy mod i'n mynd yn hŷn, ac y byddaf i'n hen rhyw ddydd. Cadw fi rhag mynd yn siaradus, yn enwedig cadw fi rhag meddwl bod yn rhaid imi ddweud rhywbeth ar bob pwnc ac ar bob achlysur.

Gwared fi rhag yr ysfa i ddatrys problemau pawb. Gwna fi'n feddylgar ond nid yn oriog; yn barod i helpu ond nid i fod yn feistr ar bawb. Gan fod gennyf stôr o ddoethineb mae'n resyn nad yw'n cael ei ddefnyddio, ond gwyddost, Arglwydd, y bydd angen rhai ffrindiau arnaf hyd y diwedd. Cadw fy meddwl rhag rhestru manylion diddiwedd - dyro i mi adenydd i hedfan at y pwynt.

Erfyniaf am ras i wrando ar eraill yn sôn am eu poen. Ond selia fy ngwefusau rhag imi sôn am fy mhoenau i fy hun - cynyddu y maent, a rydw innau'n mynd yn fwy hoff o sôn amdanynt wrth i'r blynyddoedd wibio heibio. Helpa fi i'w dioddef yn amyneddgar.

Ni fentraf ofyn am gael gwell cof, ond gofynnaf am gael bod yn fwy gostyngedig ac yn llai sicr mai fi sy'n iawn pan nad yw fy atgofion i'n cyfateb i atgofion pobl eraill. Dysg y wers ogoneddus imi, ei bod hi'n bosibl mai fi sydd wedi gwneud camsyniad weithiau.

Cadw fi'n rhesymol o annwyl. Nid wyf am fod yn sant - mae'n ddigon anodd byw gyda rhai ohonynt - ond un o gampweithiau'r diafol yw hen wraig sur.

Dyro i mi'r gallu i weld pethau da mewn lleoedd annisgwyl, a thalentau mewn pobl annisgwyl. A dyro i mi, O Arglwydd, y gras i ddweud hynny wrthynt.

Sampler o New England

O'R UNFED GANRIF AR BYMTHEG NEU'R AIL GANRIF AR BYMTHEG

Cyn bod pobl yn dechrau defnyddio llyfrau patrwm printiedig ym 1523, roedd pwythau brodwaith yn cael eu harddangos ar baneli lliain a elwid yn "Sampleri". Yn yr ail ganrif ar bymtheg roedd sampleri'n cael eu gwneud yn yr ysgol; disgwylid i bob merch ifanc wnïo o leiaf un sampler i ddangos ei bod hi'n meddu ar y sgiliau benywaidd. Fel rheol caed golygfa deuluol neu lun o dŷ gyda phobl o'i gwmpas ar y sampler. Byddai gweddi, adnod o'r Beibl neu ddihareb dduwiol yn rhan hanfodol o'r cynllun, fel bod y sampler - ar ôl iddo gael ei fframio a'i hongian ar y wal - yn atgoffa'i grëwr a'i theulu o'u dyletswyddau crefyddol.

Bendithia, O Dduw, bawb a garaf;
Bendithia, O Dduw, bawb sy'n fy ngharu i;
Bendithia bawb sy'n caru'r rhai a garaf fi
a phawb sy'n caru'r rheini sy'n fy ngharu i.

Blaise Pascal

1623 - 1662

Roedd Pascal yn fachgen galluog iawn. Cafodd addysg breifat yn ei gartref yn Clermont-Ferrand yn Ffrainc. Pan oedd yn ddwy ar bymtheg mlwydd oed dyfeisiodd un o'r peiriannau cyfrif cyntaf. Seiliwyd ef ar fecanwaith o ddisgiau a oedd yn troi. Yn ddiweddarach darganfu Ddeddf Pascal, egwyddor pwysedd dŵr sy'n sail hydroleg fodern.

Ar 23 Ionawr 1654 cafodd brofiad ysbrydol dwys. Ynddo darganfu "nid Duw'r gwyddonwyr a'r athronwyr ond Duw Abraham, Duw Isaac a Duw Jacob". Ysgrifennodd ddisgrifiad o'i deimladau ar y pryd a chariodd y papur gydag ef weddill ei oes, wedi ei wnïo wrth leinin ei got.

Casglwyd ei ysgrifeniadau anorffenedig ynghyd ar ôl ei farwolaeth a'u cyhoeddi o dan yr enw "Pensées". Yn y myfyrdodau hyn mae'n pwysleisio'r wedd emosiynol a geir mewn ffydd a'r ffaith na ellir cyrraedd Duw trwy'r rheswm: "Mae gan y galon ei rhesymau na ŵyr rheswm ddim amdanynt".

Cydymffurfia Fy Ewyllys

O Arglwydd, na foed imi ddeisyf iechyd neu fywyd oni bai fy mod yn eu defnyddio i ti, gyda thi ac ynot ti. Ti yn unig a ŵyr beth sy'n dda i mi; gwna felly yr hyn a ymddengys yn dda i ti.

Dyro i mi neu cymer oddi arnaf; cydymffurfia fy ewyllys i â'th ewyllys di; a chaniatâ fy mod i, gan ymostwng yn ostyngedig ac yn berffaith, yn derbyn gorchmynion dy ragluniaeth dragwyddol, ac yn clodfori'n ddiwahân bopeth a ddaw oddi wrthyt ti i mi.

Gweddïau'r Werin

GWEDDÏAU TRADDODIADOL

O adeg yr Eglwys Geltaidd yn yr Oesoedd Tywyll hyd at gyfnod y caethweision du yn America mae pobl gyffredin wedi cyfansoddi gweddïau sydd wedi bod yn werth eu cadw a'u trosglwyddo o'r naill genhedlaeth i'r llall. Gweddïau byr, uniongyrchol ydynt fel arfer, ond ceir ynddynt hiwmor sych ac elfen farddonol yn aml. Datgelant ffydd syml ond cadarn mewn Duw sy'n ymboeni am fanylion ymarferol bywyd pob dydd.

Bendith Aeleg

O IWERDDON

Boed i'r ffordd godi i'ch cyfarfod,
boed i'r gwynt fod y tu cefn i chwi,
boed i'r haul dywynnu ar eich wyneb,
a'r glaw ddisgyn yn dyner ar eich meysydd;
a than i ni gyfarfod eto,
boed i Dduw eich dal chwi ar gledr ei law.

Gweddi'r Pysgotwr Llydewig

O FFRAINC

Dduw annwyl, bydd dda wrthyf fi. Mae'r môr mor llydan
a'm cwch i mor fychan.

Gweddi Dros yr Anifeiliaid

O RWSIA

Gwrando ein gweddi ostyngedig, O Dduw, dros ein ffrindiau, yr anifeiliaid. Erfyniwn am dy holl drugaredd a'th dosturi wrthynt, ac i bawb sy'n ymwneud â hwy gofynnwn am galon dosturiol, dwylo tyner a geiriau caredig. Gwna ninnau'n gyfeillion cywir i anifeiliaid fel y gallwn rannu ym mendith y rhai trugarog. Er mwyn yr un tyner ei galon, Iesu Grist ein Harglwydd.

Gweddïau'r Dyn Du

O AMERICA

O Arglwydd, helpa fi i ddeall nad wyt ti'n mynd i adael i unrhyw beth ddigwydd i mi na fedri di a mi mo'i drafod gyda'n gilydd.

Gweddi bachgen du wrth iddo redeg ras:
Cwyd di nhw i fyny Arglwydd ac fe ddoda' i nhw i lawr, cwyd di nhw i fyny ac fe ddoda' i nhw i lawr ...

Gweddi Plentyn

O LOEGR

Gwna fi, Arglwydd annwyl, yn gwrtais ac yn garedig
I bawb, erfyniaf arnat;
Ac a gaf fi holi sut yr wyt tithau'n teimlo
Heddiw, Arglwydd annwyl?

Jonathan Edwards

1703 - 1758

"Ar Ionawr 12 1723," ysgrifenna Edwards, "cyflwynais fy hun i Dduw a nodais hynny; gan roi fy hun a phopeth a feddwn i Dduw; i beidio â bod mwyach yn eiddo i mi fy hun". Roedd hyn yn uchafbwynt dwy flynedd o chwilio dyfal am Dduw. Disgrifir ffrwyth ymgyflwyniad Edwards yn ei lyfr, "Faithful Narrative of the Surprising Work of God", disgrifiad o sut y cafodd miloedd ffydd newydd yng Nghrist trwy ei bregethu yn Northampton, Massachusetts. Trwy ei bregethu a'i ysgrifeniadau ysbrydol daeth yn un o'r bobl enwocaf yn hanes yr eglwys yn America.

Nid oedd syniadau a dulliau Edwards yn boblogaidd ym mhob man, fodd bynnag, ac ym 1750, ar ôl ymrafael hir, diswyddwyd ef gan ei gynulleidfa. Parhaodd i bregethu ac i ysgrifennu, gan annog Cristnogion i weddïo am fywyd ysbrydol newydd yn y genedl. Ym 1758 etholwyd ef yn llywydd y coleg, a ddaeth yn Brifysgol Princetown yn ddiweddarach, ond bu farw o'r frech wen ddau fis ar ôl iddo gael ei benodi.

Ymroddiad i Waith Duw

O WASANAETH ANGLADD Y CENHADWR DAVID BRAINERD

O na fydded i'r pethau a welsom ac a glywsom yn y person anghyffredin hwn; ei fywyd sanctaidd, nefolaidd, o lafur a hunan-ymwadiad; ei ymroddiad wrth ei gyflwyno ei hun a phopeth a feddai, mewn gair a gweithred, er gogoniant i Dduw; a'r meddylfryd hwn wedi cael ei amlygu mewn ffordd mor ddiysgog, wrth ddisgwyl marwolaeth, yng nghanol poenau a dioddefaint; o na fydded i hyn greu ynom ni, yn bobl a phregethwyr, ymdeimlad o'r gwaith mawr sydd gennym ninnau i'w gyflawni yn y byd, o ardderchowgrwydd gwir grefydd, o wynfyd marwolaeth y rhai sydd wedi byw fel hyn , ac o werth difesur eu gwobr dragwyddol...Boed i hyn ein hysgogi ni i ymdrechu'n barhaus, fel y deuwn, trwy fyw bywyd sanctaidd cyffelyb, i'r un diwedd gwynfydedig! Amen.

John Wesley

1703 - 1791

Ar Mai 24 1738 roedd dyn ifanc difrifol a duwiol, ond anniddig, yn gwrando ar ddarlleniad o "Ragair " Luther i'r Epistol at y Rhufeiniaid mewn cyfarfod crefyddol yn Aldersgate yn Llundain.

Yn sydyn teimlodd ei galon yn "cynhesu'n rhyfeddol" ac fe'i llanwyd â'r ymdeimlad fod Duw yn ei garu'n angerddol. Yr oedd Wesley, pymthegfed mab clerigwr o Swydd Lincoln, wrthi eisoes yn hybu Cristnogaeth. Ond rhoes ei brofiad yn Aldersgate hyder ac egni newydd i'w ffydd. Treuliodd weddill ei fywyd yn lledaenu'r efengyl ymhlith miloedd nad oedd yr eglwys yn cyffwrdd â hwy.

Teithiai tua 8,000 o filltiroedd bob blwyddyn ar gefn ceffyl i bregethu i dorfeydd enfawr yn yr awyr agored: "Y byd cyfan yw fy mhlwyf i," meddai. Ni fedrai eglwys Anglicanaidd ei gyfnod ddeall y dull chwyldroadol hwn o efengylu. Fe anwyd enwad newydd: y Methodistiaid, a enwyd felly am fod eu dull o astudio pethau ysbrydol, a sefydlwyd gan y "Clwb Sanctaidd", mor drefnus. Anadl einioes yr Eglwys Fethodistaidd oedd gweddi, gweddïau unigolion a gweddïau grwpiau bach. Ysgrifennodd Wesley, "Gweddïwch yn ddibaid", ar wyneb-ddalen ei ddyddiadur preifat, a threuliai awr bob bore a bob nos yn gweddïo.

Erfyn am Faddeuant

Maddau bob un ohonynt, O Arglwydd:
y pethau na wnaethom a'r pethau a wnaethom;
pechodau'n hieuenctid a phechodau blodau'n dyddiau;
pechodau'n heneidiau a phechodau'n cyrff;
ein pechodau dirgel a'r rhai mwy amlwg;
y rhai a wnaethom mewn anwybodaeth neu'n annisgwyl,
a'r rhai a wnaethom yn fwy bwriadol a herfeiddiol;
y rhai a gyflawnwyd i'n plesio'n hunain, ac i blesio eraill;
y rhai y gwyddom amdanynt ac a gofiwn,
a'r rhai sydd wedi mynd yn angof;
y pechodau yr ydym wedi ceisio eu cuddio oddi wrth eraill
a'r pechodau rheini sydd wedi gwneud i eraill bechu;
maddau, O Arglwydd, maddau hwynt i gyd er ei fwyn ef,
a fu farw dros ein pechodau ac a gyfododd i'n cyfiawnhau,
ac sy'n eistedd nawr ar dy ddeheulaw i eiriol drosom,
Iesu Grist ein Harglwydd.

Myfyrdod ar y Groes

O Iesu, tlawd a distadl, dirmygedig a di-nod, trugarha wrthyf, a gwared fi rhag bod â chywilydd i'th ganlyn di.

O Iesu, a gasáwyd, a enllibiwyd ac a erlidiwyd, trugarha wrthyf, a gwna fi'n fodlon bod fel fy meistr.

O Iesu, a gablwyd, a gyhuddwyd ac a feiwyd ar gam, trugarha wrthyf, a dysg fi sut i ddioddef gwrthddweud pechaduriaid.

O Iesu, a wisgwyd mewn cerydd a gwarth, trugarha wrthyf, a gwared fi rhag ceisio fy ngogoniant fy hun.

O Iesu, a sarhawyd, a wawdiwyd ac y poerwyd arno, trugarha wrthyf, a gwared fi rhag gwrthgilio yn y prawf tanllyd.

O Iesu, a goronwyd â drain ac a ddirmygwyd;

O Iesu, sy'n cario baich ein pechod ni, a rhegfeydd y bobl;

O Iesu, sy'n dwyn sen ac ysgelerder, sy'n cael ei ergydio a'i fychanu, a'i oddiweddyd â chlwyfau ac â thrallodion;

O Iesu, sy'n hongian ar y pren melltigedig, yn plygu dy ben, yn marw, trugarha wrthyf fi, a gwna fy enaid yn fwy tebyg i'th Ysbryd sanctaidd, gostyngedig, dioddefus di.

Y Bywyd Darfodedig Hwn

Cyweiria'n camre, Arglwydd, fel na fyddwn yn simsanu oblegid anwadalwch y byd, eithr yn mynd yn ein blaenau'n gyson tuag at ein cartref gogoneddus; heb farnu ein taith yn ôl y tywydd a gawn, na throi o'r neilltu beth bynnag a ddigwydd i ni.

Mae'r gwyntoedd yn groes yn aml, ac mae ein pwysau ni ein hunain yn ein gwasgu i lawr. Estyn dy law, O Arglwydd, dy law achubol, a gwared ni ar frys.

Dysg ni, O Arglwydd, i ddefnyddio'r bywyd darfodedig hwn fel pererinion yn dychwelyd i'w hannwyl gartref; fel y dygwn yr hyn sy'n rhaid ei gael ar gyfer y daith, heb feddwl am ymgartrefu mewn gwlad estron.

Gweddïau'r Cenhadon

O'R DDEUNAWFED GANRIF HYD AT YR UGEINFED GANRIF

Yn y ddeunawfed ganrif a'r bedwaredd ganrif ar bymtheg ysgogodd diwygiadau crefyddol, megis yr un a gychwynnwyd gan Wesley, ddiddordeb newydd mewn lledaenu'r newyddion da am Iesu ymhlith pobl y byd. Sefydlwyd amryw o gymdeithasau cenhadol. Ymddiddorai'r rhan fwyaf ohonynt yn un rhan arbennig o'r byd.

Wynebai'r rhai a'u cynigiodd eu hunain i wasanaethu fel cenhadon galedi, unigrwydd a pherygl yn aml. Daeth rhai ohonynt yn enwog trwy eu dyddiaduron a'u hysgrifeniadau eraill ac ysbrydolwyd llawer i ddilyn ôl eu traed drwy gysegru eu bywydau i wasanaethu Duw.

Henry Martyn

1781 - 1812

Roedd Martyn yn ieithydd penigamp. Ef oedd y Sais cyntaf i gynnig gwasanaethu gyda Chymdeithas Genhadol yr Eglwys pan oedd newydd gael ei ffurfio. Gwrthodwyd ef, fodd bynnag, ac aeth i India fel caplan gyda Chwmni Dwyrain India. Treuliodd y rhan fwyaf o'i fywyd yn cyfieithu'r Testament Newydd a'r Llyfr Gweddi Gyffredin i Hindwstani. Cynghorwyd ef i fynd ar fordaith er mwyn ei iechyd. Aeth i Bersia ac yno cyfieithodd y Testament Newydd i Arabeg a Pherseg. Bu farw yn Armenia ar ei ffordd adref.

Dall a Diymadferth

Arglwydd, rydw i'n ddall a diymadferth,
yn wirion ac yn anwybodus.
Pâr i mi glywed;
pâr i mi wybod;
dysg fi i wneud;
arwain fi.

Gweddi o Ymgysegriad

WRTH ORFFEN CYFIEITHU'R TESTAMENT NEWYDD I BERSEG

Nawr, boed i'r Ysbryd
a roes y Gair,
ac a'm galwodd i, gobeithio,
i'w ddehongli,
ei gymhwyso, yn rymus ac yn raslon,
i galonnau pechaduriaid.

Temple Gairdner

1873 - 1928

Anfonwyd Temple Gairdner i Cairo gan Gymdeithas Genhadol yr Eglwys ym 1898. Roedd eisoes wedi cael profiad o weithio gyda myfyrwyr ym Mhrifysgol Rhydychen. Ei amcan oedd lledaenu'r ffydd Gristnogol ymhlith myfyrwyr a phobl ddysgedig yr Aifft. Dysgodd Arabeg llafar i genhadon ac athrawon Eifftaidd, ysgrifennodd lyfrau ar seineg, cyfieithodd emynau, cerddi a dramâu, cychwynnodd gylchgrawn Cristnogol mewn Arabeg a Saesneg a chasglodd dros 300 o donau lleol traddodiadol i'w defnyddio mewn addoliad. Carai gerddoriaeth, barddoniaeth a natur. Roedd yn cael blas mawr ar fyw.

Y Weddi Gyntaf a Lefarodd

O Dduw,
gwyddost mai'r unig beth a geisiaf
yw dy wasanaethu di a dynion, bob amser, gydol fy oes.

"Bywyd a Gollwyd"

Arglwydd rydw i'n fodlon i'r byd gredu fy mod i wedi
colli fy mywyd, ond iddo fod yn dderbyniol
yn dy olwg di.

Gweddi Cyn Iddo Briodi

Fel y gallaf ddynesu ati hi,
tyn fi'n nes atat ti nag ati hi;
fel y gallaf ei hadnabod hi,
helpa fi i'th adnabod di'n well na hi;
fel y gallaf ei charu hi
gyda chariad calon perffaith gyfan,
gwna i mi dy garu di'n fwy na hi ac yn fwy na dim.

Amy Carmichael

1868 - 1951

Pan ymddangosodd llyfr Amy Carmichael, "Things as they are", diflannodd y cyfaredd a amgylchynai'r syniad o wneud gwaith cenhadol, ond ar yr un pryd ysgogwyd llawer i ddilyn yn ôl ei throed. Pan fu'n rhaid iddi adael ei gwaith yn Japan oherwydd afiechyd aeth i Dde India. Yno sylfaenodd Gymdeithas Dohnavur i achub plant rhag cael eu diraddio wrth wasanaethu yn y temlau Hindwaidd. Er bod cryd cymalau ofnadwy arni ysgrifennodd lawer o lyfrau defosiynol a cherddi wedi eu seilio ar ei phrofiadau hi ei hun.

Meddylia Trwof Fi

Ysbryd Glân
meddylia trwof fi
nes i'th syniadau di
fod yn syniadau i mi.

Nid Yw'n Bell

Nid yw hi'n ffordd bell
am dy fod di gerllaw.
Nid yw hi'n ffordd bell
am dy fod di yma.
Ac nid wrth deithio, Arglwydd
y daw dynion atat ti,
ond ar hyd ffordd cariad,
ac fe'th garwn di.

John Henry Newman

1801 - 1890

Tra roedd yn ficer eglwys y brifysgol yn Rhydychen daeth Newman yn arweinydd Mudiad Rhydychen, grwp o glerigwyr a lleygwyr a oedd yn ymateb i'r ymosodiadau niferus ar Gristnogaeth yn eu cyfnod hwy, trwy geisio helpu Eglwys Loegr i ddychwelyd at ei gwreiddiau hanesyddol. Awgryment yn benodol y dylid addoli mewn dull mwy traddodiadol, mewn dull a oedd yn debycach i addoliad yr eglwys Gatholig Rufeinig.

Yr oedd Newman yn pregethu ac yn ysgrifennu'n egnïol i gefnogi'r syniadau hyn a bu llawer yn ei wrthwynebu. O'r diwedd gwelodd na fyddai'n dod o hyd i'r hyn a geisiai yn yr eglwys Anglicanaidd. Ym 1845 fe'i derbyniwyd i'r Eglwys Gatholig Rufeinig; y flwyddyn ganlynol ordeiniwyd ef yn offeiriad, ac erbyn 1879 yr oedd yn gardinal.

Ym 1864 ysgrifennodd Charles Kingsley am Newman, braidd yn annheg, "nad oedd yn ystyried bod gwirionedd yn rhinwedd hanfodol". Ysgogodd hyn Newman i gyhoeddi ei 'Apologia Vita Sua', hunangofiant rhyfeddol sy'n amddiffyn ei syniadau a'i weithredoedd.

O Arglwydd, Cynnal Ni

GWEDDI A DDEFNYDDIWYD GAN NEWMAN, OND SY'N DOD MAE'N DEBYG O'R UNFED GANRIF AR BYMTHEG.

O Arglwydd, cynnal ni trwy gydol dydd ein bywyd blin, hyd onid estynno'r cysgodion a dyfod yr hwyr, distewi o ddwndwr byd, tawelu o dwymyn bywyd, a gorffen ein gwaith. Yna, Arglwydd, yn dy drugaredd dyro inni lety diogel, gorffwysfa sanctaidd, a thangnefedd yn y diwedd, trwy Iesu Grist ein Harglwydd.

Perarogl Crist

Helpa fi i ledaenu dy berarogl di ble bynnag yr af - boed i mi dy bregethu di heb bregethu, nid trwy eiriau ond trwy fy esiampl - trwy rym heintus, dylanwad trugarog yr hyn a wnaf, llawnder amlwg y cariad sydd yn fy nghalon tuag atat ti.

Yr Arglwydd Shaftesbury

1801 - 1885

Ar ddiwrnod gwlyb ym 1855 ymlwybrodd gorymdaith angladdol tuag at Abaty Westminster. Yn yr orymdaith yr oedd pob math o bobl; cynrychiolwyr o gymdeithasau ac elusennau, gwerthwyr blodau, plant y strydoedd, bonheddwyr, dynion a oedd yn glanhau simneiau, gwladweinwyr, clerigwyr. Yr oedd y dorf amrywiol hon yn cynrychioli amrediad eang diddordebau'r gŵr a oedd yn yr arch o'u blaen, Anthony Ashley Cooper, Iarll Shaftesbury.

Trwy ddeddfwriaeth ac ymgyrchu yr oedd Shaftesbury wedi ceisio amddiffyn hawliau'r gwragedd a'r plant a weithiai yn y pyllau glo, y bechgyn bach a ddringai'r simneiau er mwyn eu glanhau, y rhai a oedd yn dioddef afiechyd meddyliol, a'r merched a oedd yn gorfod gwnïo a gwneud hetiau am y nesaf peth i ddim. Hybodd hyfforddiant mewn diwydiant, ysgolion i blant tlawd, a gwaith y cymdeithasau a oedd ym ymwneud ag efengylu a gwaith cymdeithasol ym Mhrydain ac mewn gwledydd tramor. Rheolwyd ei fywyd gan yr hyn a ysgrifennodd pan oedd yn saith ar hugain mlwydd oed: "Yr egwyddor gyntaf, anrhydedd Duw, yr ail, hapusrwydd dyn y cyfrwng, gweddi a diwydrwydd di-ball."

Tad y Diymgeledd

O Dduw, tad y diymgeledd, cynorthwywr y gwan, diwallwr yr anghenus; fe'n dysgi fod cariad tuag at yr hil ddynol yn rhwymyn perffeithrwydd, ac yn adlewyrchiad o'th anian bendigedig di dy hun. Agor a chyffwrdd â'n calonnau fel y medrwn weld a gwneud, er mwyn y byd hwn a'r un sydd i ddod, y pethau a berthyn i'n heddwch ni.

Nertha ni yn y gwaith yr ydym wedi ymgymryd ag ef; dyro i ni ddoethineb, dyfalbarhad, ffydd a sêl, ac yn dy amser dy hun ac yn dy ffordd dy hun, llwydda'r ymdrechion; er mwyn cariad at dy Fab, Iesu Grist.

Abraham Lincoln

1809 - 1865

Yr oedd arwr gwleidyddiaeth America hefyd yn ymgorfforiad o ddelfrydau America: yn ddyn a gyrhaeddodd ei safle trwy ei ymdrechion ef ei hun. Roedd yn perthyn i deulu di-nod, ond daeth, trwy ymdrechu, yn gyfreithiwr, a gweithiodd yn Illinois yn y 1830au a'r 40au. Ar ôl treulio tymor yn y Gyngres fel Democrat, ymunodd â'r Gweriniaethwyr ym 1856 a bu mewn cyfres o ddadleuon cyhoeddus gyda'r Seneddwr Stephen A. Douglas, mewn ymgais i ennill sedd Douglas yn y Senedd. Methiant fu'r ymdrech, ond rhoes y dadleuon amlygrwydd i enw Lincoln ac ym 1860 cafodd ei ethol yn arlywydd.

Hyrddiwyd y wlad i ganol Rhyfel Cartref bron yn syth, ac ym 1863 rhoes ryddid i gaethweision yn nhaleithiau'r De fel mesur rhyfel. O hynny ymlaen fe'i parchwyd fel cefnogwr rhyddid a daeth ei araith enwog yn Gettysburg yn siarter rhyddid America. Ond ychydig ddyddiau ar ôl buddugoliaeth yr Undeb ym 1865 fe'i saethwyd yn farw yn ystod ymweliad â'r theatr.

Dros Genedl Mewn Rhyfel

Caniatâ, O Dduw trugarog, heb fod yn faleisus at unrhyw un, ond gan garu pawb, gan sefyll yn gadarn dros yr hyn sy'n iawn, fel yr wyt ti'n ei ddatguddio inni, i ni ymdrechu i orffen y gwaith yr ydym yn ei wneud; rhwymo doluriau'r genedl; gofalu am yr hwn sydd wedi bod yn brwydro, am ei weddw ac am ei blentyn amddifad; i wneud popeth a fydd yn sicrhau ac yn hybu heddwch cyfiawn a pharhaol ymhlith ein gilydd ac ymhlith yr holl genhedloedd.

Nerth a'r Hyn sy'n Iawn

Arglwydd, dyro i ni ffydd mai'r hyn sy'n iawn sy'n rhoi nerth.

Søren Kierkegaard

1813 - 1855

"Daeth Crist i mewn trwy ddrysau cloëdig". Dyna sut y disgrifiodd Kierkegaard ei dröedigaeth. Yr oedd yn seithfed plentyn tad cyfoethog a bu'n byw yn Copenhagen bron ar hyd ei oes, yn astudio diwinyddiaeth i ddechrau, yna'n ysgrifennu. Roedd yn berson adnabyddus yn theatrau a thai bwyta'r ddinas, ac yn enwog am ei allu a'i ffraethineb. Ond o dan y digrifwch arwynebol yr oedd iselder ysbryd parhaol, a wnaed yn waeth ym 1841 pan dorrwyd ei ddyweddïad.

Ysgrifennodd lyfrau am estheteg, athroniaeth a chrefydd; ysgrifennwyd llawer ohonynt o dan ffugenw fel y gallai fynegi ei farn yn fwy rhydd. Beirniadwyd ef yn hallt am iddo ymosod ar grefyddolder y bobl barchus. "Fy ngwaith distadl i", ysgrifennodd,"yw gwneud pobl yn ymwybodol ... gwneud lle, fel bod Duw yn medru dod i mewn".

Y Syniad o Dduw

Dad nefol, pan fyddwn yn dechrau synied amdanat ti yn ein calonnau,
na fydded i'r syniad hwnnw fod fel aderyn ofnus sy'n hedfan o gwmpas
mewn braw, eithr fel plentyn yn deffro o'i gwsg gyda gwên nefolaidd.

Gweddi Cyn Cyfarfod

Ysbryd Glân, ti sy'n bywiocáu;
bendithia ein cyfarfod ni,
bendithia'r sawl sy'n siarad ac yn
gwrando;
boed i'r genadwri ddod o'r galon,
trwy dy gymorth di.
Boed iddi gyrraedd y galon hefyd.

Ffydd

Dysg fi,
O Dduw,
i beidio â'm poenydio fy hun,
na gwneud merthyr ohonof fi fy hun
trwy feddyliau mewnblyg,
dysg fi'n hytrach i anadlu'n ddwfn mewn ffydd.

TEXAS

Florence Nightingale

1820 - 1910

"Dysgodd hi nyrsys sut i fod yn wragedd bonheddig, a thynnodd wragedd bonheddig o gaethiwed segurdod i fod yn nyrsys". Dyna sylw awdur un cofiant. Roedd Florence yn ferch i fonheddwr a oedd yn byw yn y wlad, ond gwrthryfelodd yn erbyn gorfod byw bywyd segur. Yr adeg honno nid oedd nyrsio'n alwedigaeth barchus iawn yn Lloegr, felly bu'n teithio mewn gwledydd tramor gan ymweld ag ysbytai yn Ewrop a oedd yn cael eu cadw gan chwiorydd Catholig a Phrotestannaidd. Gwnaeth eu hymrwymiad a'u defosiwn argaff ddofn arni. Dychwelodd ym 1853 i fod yn arolygwraig ysbyty i "wragedd bonheddig methedig" yn Llundain.

Flwyddyn yn ddiweddarach dechreuodd Rhyfel y Crimea. Ar ôl darllen am y gofal a roddwyd i filwyr Ffrainc a sut yr esgeuluswyd milwyr Lloegr cynigiodd fynd i'r rhyfel i arolygu'r merched a oedd yn nyrsys yno. Llwyddodd i greu trefn o'r anhrefn dybryd. I wneud hyn gweithiai ugain awr y dydd.

Ym 1856 bu'n rhaid iddi ddod adref am ei bod hi wedi cael twymyn. Cafodd groeso tywysogaidd. Ymhlith yr anrhydeddau a gafodd yr oedd tlws a gynlluniwyd gan y Tywysog Albert, breichled ddiemwnt oddi wrth Swltan Twrci, cerdd a ysgrifennodd y bardd Longfellow amdani, medalau o Loegr, Ffrainc, yr Almaen a Norwy, a rhyddfraint dinas Llundain. Er bod ei hiechyd yn fregus parhaodd i weithio hyd at ddiwedd ei hoes. Sefydlodd ysgol i nyrsys yn Llundain ac ymddiddorai'n fawr yn y gwaith meddygol a wnaed yn India.

I Ble Yr Wyt Ti'n Arwain?

O Dduw, ti a blennaist yn fy nghalon yr awydd angerddol hwn i wasanaethu'r claf a'r galarus; fe'i cyflwynaf i ti. Defnyddia ef yn dy wasanaeth di. O fy Nghreawdwr, onid wyt yn arwain pob un ohonom ni i berffeithrwydd? Neu ai syniad metaffisegol yn unig yw hwn, heb unrhyw dystiolaeth o'i blaid? Ai ailadrodd ei hun yn barhaus y mae dyn? Gwyddost fy mod i, gydol yr ugain mlynedd ofnadwy hyn, wedi cael fy nghynnal gan y gred (mae'n rhaid fy mod i'n dal i'w gredu neu fuaswn i ddim yn medru gweithio) fy mod i'n cydweithio gyda thi, sy'n dwyn pob un ohonom, hyd yn oed ein nyrsys druain, i berffeithrwydd. O Arglwydd, hyd yn oed yn awr rydw i'n ceisio cipio awenau'r byd o'th law di. Nid wyf wedi chwilio'n ddigon dyfal am rywbeth uwch a gwell na'm gwaith i fy hun - gwaith y Doethineb eithaf sy'n ein defnyddio ni, prun ai yr ydym yn sylweddoli hynny ai peidio.

Fyodor Dostoevsky

1821 - 1881

Dechreuodd Dostoevsky ei yrfa fel myfyriwr mewn coleg peirianneg filwrol yn S. Petersburg, ond cyn bo hir troes at ysgrifennu. Ym 1849 cafodd ei arestio am ei weithgareddau chwyldroadol a'i ddedfrydu i farwolaeth, ond gohiriwyd ei ladd ac anfonwyd ef i Siberia am ddeng mlynedd. Yn ystod y cyfnod hwn y dechreuodd garu'r bobl gyffredin yn angerddol.

Dechreuodd ymwneud â newyddiaduraeth a chyhoeddi cylchgrawn democrataidd gyda'i frawd. Bu'n briod, yn anhapus, am saith mlynedd. Pan fu farw ei wraig gyntaf priododd ei ysgrifenyddes.

Gwelir olion ei brofiadau gwleidyddol, ei ddioddefaint yn ystod ei briodas gyntaf, ei epilepsi a'i broblemau ariannol, yn ei nofelau mawr. Yn y rhain, fel yng ngwaith Kierkegaard, gwelir pwyslais mawr ar waredigaeth trwy ddioddefaint. Mae'r eglwys sefydledig yn cael ei phortreadu fel teyrn. Nodwedd y cymeriadau canolog yw emosiynau cryfion a thosturi cyffredinol.

Caru Bywyd

ADDASIAD O DDARN YN "Y BRODYR KARAMAZOV"

Arglwydd, bydded i ni garu dy holl greadigaeth di, y ddaear a phob gronyn o dywod sydd ynddi. Bydded i ni garu pob deilen, pob pelydryn o'th oleuni di.

Bydded i ni garu'r anifeiliaid: rhoddaist iddynt feddyliau elfennol a llawenydd digwmwl. Na fydded i ni ei gymylu; na fydded i ni amharu arnynt na chipio eu llawenydd oddi arnynt, gwared ni rhag gweithio yn erbyn dy fwriad di.

Oherwydd cydnabyddwn ger dy fron fod y cyfan fel cefnfor, sy'n llifo ac yn ymdoddi i'w gilydd, ac y byddai cadw mesur o gariad rhag unrhyw beth yn dy greadigaeth di yn golygu cadw'r un mesur rhagot tithau.

Christina Rossetti

1830 - 1894

Ysgrifennodd Christina Rossetti ei phenillion cyntaf i'w mam ar ei phen-blwydd ym 1842 ac yn ystod yr un flwyddyn cyhoeddodd ei thaid Eidalaidd gasgliad preifat o'i gwaith. Pan oedd hi'n bedair ar bymtheg yr oedd hi'n ysgrifennu i gylchgrawn a gyhoeddwyd gan ffrindiau ei brawd, yr artist Daniel Gabriel Rossetti. Cyn bo hir roedd ei barddoniaeth yn adnabyddus iawn a daeth yn un o feirdd mwyaf poblogaidd ei chyfnod.

Ymhlith ei cherddi yr oedd caneuon serch a cherddi i blant, ond yr oedd llawer o'i barddoniaeth a'i rhyddiaith yn ddefosiynol. Oherwydd ei ffydd Gristnogol torrodd un dyweddïad a gwrthododd briodi dyn arall (er ei bod yn ei garu'n fawr) am nad oedd y naill na'r llall yn rhannu ei ffydd. Roedd yn "lleian ym mhob peth ond mewn gwisg," meddai un cofiannydd amdani. Roedd hi'n byw gyda'i mam a oedd yn weddw ac yn treulio ei hamser yn gwneud gweithredoedd da. Yn ddiweddarach pan oedd hi'n dioddef oddi wrth glefyd prin, clefyd Graves, ymfeudwyodd bron yn llwyr.

Mewn Lludded

O Arglwydd, Iesu Grist,
sydd fel cysgod craig fawr mewn gwlad flinderus,
ac sy'n gweld dy greaduriaid gwan
wedi blino llafurio, wedi blino ymblesera,
wedi blino ar obeithio, wedi blino ar eu hunain;
yn dy drugaredd helaeth,
yn dy gydymdeimlad,
a'th dynerwch anfesuradwy,
tywys ni, gweddïwn arnat,
i mewn i'th orffwys di.

I'r Ysbryd Glân

Fel y mae'r gwynt yn symbol ohonot ti
felly hyrwydda ein myned ni.
Fel y mae'r golomen
felly cod ni tua'r nef.
Fel y mae dŵr
felly pura'n heneidiau ni.
Fel y mae cwmwl
felly tawela ein temtasiynau ni.
Fel y mae gwlith
felly adfywia'n lludded ni.
Fel y mae tân
felly coetha'n sothach ni.

Eugène Bersier

1831 - 1889

Ar ôl iddo fod yn astudio diwinyddiaeth yn ei wlad enedigol, Y Swistir, ac yn Yr Almaen, aeth Bersier i Baris i weinidogaethu i gynulleidfa'r Eglwys Ddiwygiedig Rydd, grŵp
a oedd wedi ymwahanu oddi wrth brif Eglwys Ddiwygiedig Ffrainc. Am ei fod yn ymboeni am undeb eglwysig perswadiodd yr eglwys i ailymuno â'r enwad. Ymhlith ei ysgrifeniadau ceir gweithiau'n ymdrin â hanes yr eglwys, cyfrolau o bregethau a oedd yn boblogaidd iawn, a litwrgi, neu drefn gwasanaeth, a ddefnyddid mewn llawer o eglwysi Diwygiedig Ffrengig.

Dros y Rhai sy'n Dioddef

Cariad wyt ti,
a gweli yr holl ddioddef,
anghyfiawnder, a thrueni,
sy'n teyrnasu yn y byd hwn.
Trugarha, erfyniwn arnat,
wrth waith dy ddwylo.
Edrych yn drugarog ar y tlawd,
y gorthrymedig, a phawb sydd o dan faich
camwedd, llafur neu alar.
Llanw'n calonnau â thosturi dwfn at y rhai sy'n dioddef,
a phrysura ddyfodiad dy deyrnas,
teyrnas cyfiawnder a gwirionedd.

Dwight L. Moody

1837 - 1899

Gadawodd Dwight Lyman Moody yr ysgol pan oedd yn dair ar ddeg mlwydd oed i weithio yn ei dref enedigol ym Massachusetts. Pan oedd yn ddwy ar bymtheg symudodd i Boston ac aeth i werthu esgidiau yn siop ei ewythr. Mynychai Ysgol Sul yr Annibynwyr a chafodd dröedigaeth o dan ddylanwad ei athro. Ond ni dderbyniwyd ef yn aelod o'r eglwys am flwyddyn am ei fod mor anwybodus o'r athrawiaethau sylfaenol!

Daeth yn werthwr teithiol yn ardal Chicago a bu'n ŵr busnes eithaf llwyddiannus. Ond efengylu oedd yn mynd â'i fryd. Ym 1860 rhoes y gorau i'w fusnes i gynnal Ysgol Sul amser llawn a gwaith ieuenctid. Sefydlodd eglwys anenwadol, a chyfarfod ag Ira D.Sankey a ysgrifennai donau. Gyda'i gilydd cyfansoddodd y ddau gannoedd o emynau. Defnyddient y rhain yn eu hymgyrchoedd efengylu.

Ar y dechrau ni chafodd Sankey a Moody fawr o ymateb, ond yn ystod eu trydydd ymweliad â Lloegr bu eu hymgyrch yn llwyddiannus iawn. Amcangyfrifwyd bod dros ddwy filiwn a hanner o bobl wedi bod yn eu cyfarfodydd. Ar ôl dychwelyd i'r Unol Daleithiau sefydlodd Moody ysgolion i fechgyn ac i ferched a Sefydliad Beiblaidd. Dywedir ei fod wedi teithio miliwn o filltiroedd ar deithiau pregethu a'i fod wedi siarad â 100 miliwn o bobl.

Defnyddia Fi

Defnyddia fi, felly, fy Ngwaredwr, i ba ddiben bynnag, ac ym mha ffordd bynnag y mynni. Dyma fy nghalon wael i, llestr gwag; llanw hi â'th ras. Dyma fy enaid pechadurus a chythryblus i; bywhâ ef ac adfywia ef â'th gariad. Cymer fy nghalon i fod yn drigfan i ti; fy ngenau i daenu gogoniant dy enw; fy nghariad a'm holl nerth, i feithrin dy gredinwyr; ac na ad i gadernid a hyder fy ffydd fyth gilio; fel y gallaf ddweud bob amser o'r galon, "Mae fy angen i ar Iesu, a'i eiddo ef ydwyf."

Robert Louis Stevenson

1850 - 1894

"Dim ond am ryw bedair blynedd y byddaf yn enwog", proffwydodd Stevenson pan ddechreuodd ei lyfrau werthu'n dda. Ond profodd ei ddarllenwyr nad oedd wedi proffwydo'n gywir. Mae "Treasure Island", "Kidnapped" a'i straeon antur eraill mor boblogaidd ag erioed ymhlith plant ac oedolion.

Mab peiriannydd goleudai o'r Alban oedd Stevenson a bwriadai ddilyn yn ôl camre ei dad. Ond newidiodd ei gwrs. Astudiodd y gyfraith a daeth yn ddadleuwr. Am ei fod yn dioddef o afiechyd parhaol ar yr ysgyfaint teithiai i wledydd tramor er mwyn ei iechyd a dechreuodd ysgrifennu llyfrau taith, traethodau a straeon byr. Cyn bo hir ymddangosodd ei nofelau a buont yn llwyddiannus o'r cychwyn.

Priododd Stevenson â gwraig y cyfarfu â hi ar ei deithiau. Yr oedd hi'n dod o California, roedd hi wedi cael ysgariad ac roedd ganddi ddau o blant. Ymsefydlodd y teulu yn Samoa. Yma daeth Stevenson yn fath o bennaeth mygedol. Arferai gasglu'r Samoaid o'i gwmpas i wrando ar achosion a barai anghydfod ac i adrodd straeon wrthynt. Oherwydd hyn cafodd y llysenw "Tusitala" - y storïwr. Er ei fod wedi gwrthryfela yn erbyn Calfiniaeth ei fagwraeth, roedd ganddo ffydd gref o hyd ac ysgrifennwyd ei weddïau ar gyfer y Samoaid a ddaeth yn Gristnogion. "Nid yw gweddi hael," meddai, "byth yn ofer."

Gweddi Dros y Teulu

Arglwydd, edrych ar ein teulu wedi ymgasglu yma.
Diolch i ti am y lle hwn lle y trigwn,
am y cariad sy'n ein clymu ni,
am yr heddwch a roddwyd inni heddiw,
am obaith i edrych ymlaen at yfory;
am yr iechyd, y gwaith, y bwyd a'r awyr glir
sy'n gwneud ein bywyd mor braf;
am ein ffrindiau yng ngwahanol gyrrau'r ddaear.
Dyro inni ddewrder a llonder, a meddwl tawel.
Arbed ni er mwyn ein ffrindiau, a meiriola'n hagwedd at ein gelynion.
Bendithia, os oes modd, ein holl ymdrechion diniwed;
os nad yw hynny'n bosibl, dyro i ni'r nerth
i ddioddef yr hyn sy'n dod
fel y byddwn yn ddewr mewn perygl,
yn ddiysgog mewn adfyd, yn rhesymol mewn dicter
ac ym mhob dim hyd at byrth angau, yn deyrngar ac yn gariadus i'n
gilydd. Fel y mae'r clai i'r crochenydd, fel y mae'r felin wynt i'r gwynt
fel y mae plant i'w tad,
gofynnwn ninnau am y cymorth a'r trugaredd hwn er mwyn Crist.

Hwyrol Weddi

YSGRIFENNODD A DARLLENODD Y WEDDI HON I'W DEULU
Y NOSON CYN IDDO FARW'N SYDYN

Dos i gysgu gyda phob un ohonom; os bydd rhywun yn effro lliniara eu horiau tywyll o wylio; a phan ddaw'r dydd drachefn, dychwel atom, ein haul a'n cysurwr, a chyfoda ni gyda wynebau boreol a chalonnau boreol, yn awchus i lafurio, yn awchus i fod yn hapus, os mai llawenydd fydd ein rhan, ac os neilltuwyd y dydd i alar, yn gadarn i'w ddioddef.

John Oxenham

1852 - 1941

Yr oedd y nofelydd a'r bardd, William Dunkerley (a ddefnyddiai'r enw John Oxenham wrth ysgrifennu), yn fab i gyfanwerthwr bwyd o Fanceinion. Ar ôl teithio dros fusnes ei dad yn Ewrop a'r Unol Daleithiau treuliodd ei amser i gyd yn ysgrifennu. Dechreuodd ef a Jerome K. Jerome gylchgrawn o'r enw "The Idler". Ym 1913 cyhoeddodd lyfr o farddoniaeth, "Bees in Amber" ar ei gost ei hun am nad oedd y cyhoeddwyr yn credu y byddai'n gwerthu; gwerthwyd chwarter miliwn o gopïau. Yr oedd ei weithiau eraill, gan gynnwys deugain o nofelau, yn boblogaidd iawn yn ystod y Rhyfel Byd cyntaf. Yr oedd yn Annibynnwr selog ond cydymdeimlai'n fawr â'r Eglwys Gatholig Rufeinig.

O "Te Deum Bach y Pethau Cyffredin"

Am arwyddion bach ir cyntaf y gwanwyn;
Glasu'r ddaear, glas tyner y nen;
Cegau'r rhychau brown yn agored i dderbyn yr had;
Am dy holl ras mewn blaguryn ffrwydrol ac mewn deilen ...
Am gloddiau persawrus y drain gwynion a'r rhosynnau gwyllt;
Am feysydd o dan haenen aur ac sy'n emog o sêr,
Am bob arlliw o'r blodyn lleiaf,
Am bob llygad y dydd sy'n gwenu ar yr haul;
Am bob aderyn sy'n adeiladu nyth yn llawen mewn gobaith,
Am bob oen sy'n prancio wrth ochr ei fam,
Am bob deilen sy'n siffrwd yn y gwynt,
Am boplys y gwanwyn, a'r dderwen sy'n ymledu,
Am y fedwen frenhinol a'r llwyfen dal sy'n siglo;
Am fendith osgeiddig y gedrwydden fawr,
Am y deng mil o arogldarthau pêr a offrymir gan y ddaear,
Rhoddion melys dail, blodau a ffrwythau i'r allor...
Am haf yn aeddfedu ac am gynaeafu;
Am holl ogoniannau'r hydref ar daen -
Pasiant fflamgoch y coedydd aeddfed,
Yr eithin tanllyd, y bryniau dan borffor y grug,
Y dail sy'n siffrwd wrth hedfan o flaen y gwynt
ac sy'n sibrwd wrth orwedd dan y cloddiau;
Am feysydd wedi'u hariannu â'r gwlith barugog;
Am y wefr o gael profi unwaith eto
Fin anadliad cyntaf awel y gaeaf;
Y lluniau ar y ffenestr; y byd gwyn newydd y tu allan;
Dewiniaeth y les ar y perthi pefriog,
Y plu meddal gwyn sy'n lapio'r ddaear mewn cwsg;
Yr oerfel y tu allan, y gwres siriol y tu mewn ...
Am holl galon gynnes tymor y Nadolig,
Diolchwn i ti, O Arglwydd!

Walter Rauschenbusch

1861 - 1918

Ymfudodd rhieni Rauschenbusch o'r Almaen i'r Unol Daleithiau ac fe'i ganwyd ef yn Rochester, Efrog Newydd. Addysgwyd ef yn Yr Almaen ac yn Yr Unol Daleithiau. Daeth yn Gristion pan oedd yn ddwy ar bymtheg mlwydd oed, astudiodd ar gyfer y weinidogaeth a daeth yn fugail eglwys Fedyddiedig i'r rhai a siaradai Almaeneg gerllaw Hell's Kitchen, ardal enwog am ei slymiau yn Efrog Newydd. Teimlai i'r byw dros y mewnfudwyr a'r rhai o dan anfantais cymdeithasol a oedd yn byw yno.

Cofiodd amdanynt pan aeth i ddarlithio ar y Testament Newydd a hanes yr eglwys yn Seminari Rochester. Galwyd ef yn "dad yr efengyl gymdeithasol yn America" - daeth mor adnabyddus trwy yr hyn a ysgrifennai nes bod yr Arlywydd Roosevelt wedi ymgynghori ag ef ynglŷn â pholisïau cymdeithasol ei blaid. Fe'i galwai ei hun yn Sosialydd Cristnogol. Ni dderbyniai Farcsiaeth am nad oedd hwnnw'n ystyried pechadurusrwydd dyn. Yr oedd yn heddychwr ymroddedig. Dywedai mai "Rhyfel yw'r pechod mwyaf sy'n bod".

Diolch am y Greadigaeth

O Dduw, diolch i ti am y ddaear, ein cartref;
am yr wybren lydan a'r haul bendigedig,
am y môr hallt a'r dŵr rhedegog,
am y bryniau tragwyddol a'r
gwyntoedd diorffwys, am goed ac
am y glaswellt cyffredin
o dan ein traed. Diolchwn i ti
am synhwyrau i glywed cân
yr adar, i weld gogoniant
meysydd yr haf, i brofi
ffrwythau'r hydref, i
lawenhau yn nheimlad
yr eira, ac i arogli anadl
y gwanwyn. Dyro i ni
galon sydd yn agored
led y pen i'r holl
brydferthwch hwn; ac
achub ein heneidiau
rhag mynd heibio'n ddall
pan yw hyd yn oed y
ddraenen gyffredin ar dân
â'th ogoniant di, O Dduw
ein creawdwr, sy'n byw ac yn
teyrnasu byth bythoedd.

Karl Barth

1886 - 1968

"Dim ond wrth weld dyn fel y mae yng Nghrist y gellir amgyffred y gwirionedd eithaf". Dyna a ysgrifennodd Karl Barth. Wrth astudio ac wrth ysgrifennu ceisiai alw'r eglwys yn ôl at hanfodion y ffydd a'r profiad Cristnogol.

Yr oedd yn fab i athro diwinyddiaeth y Testament Newydd. Ganwyd Barth yn Basel, astudiodd yn Y Swisdir a'r Almaen a daeth yn ddarlithydd mewn gwahanol brifysgolion yn Yr Almaen. Ysgrifennodd tua 500 o lyfrau ac erthyglau. Y rhai pwysicaf oedd ei esboniad dylanwadol ar epistol Paul at y Rhufeiniaid, a'r "Dogmatics" anorffenedig y gweithiodd arno am gynifer o flynyddoedd.

Pan ddechreuodd y Natsïaid ddod i rym collodd Barth ei swydd ddarlithio. Yn hytrach na bod yn niwtral yr oedd yn cefnogi ymdrechion yr Eglwys Gyffes a oedd yn gwrthwynebu Hitler yn agored. Gwrthododd Barth dyngu llw o ufudd-dod i'r Führer ac alltudiwyd ef i'w dref enedigol, lle y bu'n dysgu ac yn ysgrifennu hyd ddiwedd ei oes.

Ar Ddechrau Gwasanaeth

O Arglwydd ein Duw! Gwyddost pwy ydym ni: pobl gyda chydwybod dda neu ddrwg, pobl sy'n fodlon neu yn anfodlon, yn sicr neu yn ansicr, Cristnogion o ran argyhoeddiad a Christnogion o ran arferiad, rhai sy'n credu, rhai sy'n hanner-credu, a rhai sydd ddim yn credu.

A gwyddost o ble yr ydym ni wedi dod: o blith perthnasau, cydnabod a ffrindiau neu o'r unigrwydd eithaf, o ganol bywyd llewyrchus, tawel, neu o ganol dryswch a helbul mawr, o deulu lle mae pawb yn cyd-dynnu'n hapus, neu o deulu sydd ar chwâl neu o dan straen, o galon y gymuned Gristnogol neu o'i chyrion eithaf.

Ond nawr fe safwn o'th flaen di, yn ein holl amrywiaeth, ac eto yr ydym i gyd yr un fath am nad yw ein perthynas â thi ac â'n gilydd yn iawn, am fod yn rhaid i ni i gyd farw ryw ddydd, am y byddem ni i gyd ar goll oni bai am dy ras di, ac am ein bod ni wedi cael addewid bod y gras hwnnw ar gael i bob un ohonom trwy dy annwyl Fab, Iesu Grist. Yr ydym ni yma ynghyd i'th foli di trwy adael i ti siarad â ni. Gofynnwn am i hyn gael digwydd yn ystod yr awr hon, yn enw dy Fab ein Harglwydd.

Reinhold Niebuhr

1892 - 1971

Yr oedd Niebuhr yn o'r prif ddiwinyddion modern. Dechreuodd ei weinidogaeth yn Eglwys Unedig Crist mewn plwyf diwydiannol yn Detroit. Oddi yno aeth i ymuno â staff Seminari Ddiwinyddol yr Undeb yn Efrog Newydd, lle y parhaodd i geisio gweld sut y gellid cymathu'r ffydd Gristnogol a'r byd modern.

Tra roedd yn gweithio fel gweinidog bu Niebuhr yn aelod o'r Blaid Sosialaidd ond yn ddiweddarach gadawodd hi. Yn lle hynny ceisiodd gael gafael ar lwybr canol rhwng Comiwnyddiaeth ar y naill law a delfrydiaeth eithafol Americanaidd ar y llaw arall. Sefydlodd ddwy gymdeithas - "Christianity and Crisis" ac "Americans For Democratic Action" - i geisio dod o hyd i ffordd realistig o fynd i'r afael â phroblemau'r byd ac ymwneud America â'r byd hwnnw o safbwynt Cristnogol. Yn ogystal ag ymwneud â gwleidyddiaeth ysgrifennodd Niebuhr ddau ar bymtheg o lyfrau pwysig ar ddiwinyddiaeth a materion cymdeithasol.

Dirnadaeth

O Dduw, dyro inni'r serenedd
i dderbyn yr hyn na ellir mo'i newid,
y dewrder i newid yr hyn y gellir ei newid,
a'r doethineb i fedru gwahaniaethu rhyngddynt.

Cyd-ddibyniaeth

O Dduw, fe'n rhwymaist ni ynghyd yn y bwndel hwn, bwndel bywyd;
dyro i ni ras i ddeall sut y mae ein bywydau ni'n dibynnu ar ddewrder,
diwydrwydd, onestrwydd a didwylledd ein cyd-ddynion; fel y byddwn
ni'n ymwybodol o'u hanghenion, yn ddiolchgar am eu ffyddlondeb,
ac yn ffyddlon wrth gyflawni'n dyletswyddau iddynt hwy;
trwy Iesu Grist ein Harglwydd.

Corrie ten Boom

1892 - 1983

Yr olygfa - gwersyll crynhoi yn Ravensbruck. Safai Corrie ten Boom a'i chwaer Betsie, y ddwy yn noethlymun, yn gwylio un o'r ceidwaid yn curo carcharor. "Druan ohoni," meddai Corrie, gan feddwl am y carcharor, "Ie, boed i Dduw faddau iddi," atebodd Betsie gan sôn am y ceidwad. Yr agwedd faddeugar hon oedd yn mynd i lywio gwaith oes Corrie.

Arestiwyd y ddwy chwaer pan ddarganfuwyd bod Casper ten Boom, eu tad, a oedd yn wneuthurwr clociau, wedi bod yn cuddio Iddewon mewn ystafell ddirgel yn eu tŷ yn Amsterdam fel amlygiad o gariad Cristnogol. Cafodd y defnyddiau i greu'r ystafell eu cludo i'r tŷ mewn cloc mawr!

Bu Betsie farw yn Ravensbruck, ond cyn iddi farw soniodd wrth Corrie am weledigaeth a roes Duw iddi: cartref lle y gellid iacháu'r rhai hynny a niweidiwyd yn gorfforol ac yn emosiynol gan erchyllterau'r gwersylloedd crynhoi. Ar ôl iddi gael ei rhyddhau gwireddwyd y weledigaeth gan Corrie. Ond nid y rhai a ddioddefodd oedd yr unig rai y daeth hi i gysylltiad â nhw. Galluogwyd hi gan Dduw i wneud y peth mwyaf anodd o'r cyfan - maddau i'r rhai a fu'n ei herlid. Yn ei blynyddoedd olaf treuliai Corrie y rhan fwyaf o'i hamser yn teithio'r byd yn lledaenu ei neges o gariad a chymod.

Y Guddfan

Diolch i ti, Arglwydd Iesu
y byddi di'n guddfan i ni,
beth bynnag ddaw.

Dioddefaint

Dioddefaist ti drosom ni, Arglwydd Iesu,
- beth yr wyf fi'n ei ddioddef drosot ti?

Gweddi Casper ten Boom

WRTH EDRYCH AR ORIAWR NA FEDRAI MO'I THRWSIO

Arglwydd, ti sy'n troi olwynion y galaethau. Gwyddost beth sy'n gwneud i'r planedau droi. Ac fe wyddost beth sy'n gwneud i'r wats hon gerdded ...

Gweddïau o'r Trydydd Byd

O'R UGEINFED GANRIF

Yn sgîl gweithgarwch cenhadol y ddeunawfed ganrif a'r bedwaredd ganrif ar bymtheg sefydlwyd eglwysi ledled y byd mewn gwledydd lle na fu fawr o Gristnogion gynt. Erbyn heddiw mae llawer o'r eglwysi hyn yn llewyrchus, yn enwedig yn Asia, Affrica a De America. Maent yn datblygu eu bywyd eglwysig a'u ffyrdd o addoli unigryw eu hunain. Dechreuodd y rhod droi wrth i genhadon o'r Trydydd Byd "tlawd" ddod i helpu eglwys y Gorllewin wrth iddi edwino. Gall eu brwdfrydedd a'u golwg wahanol ar bethau, yn ogystal â'u hymwybyddiaeth o broblemau cymdeithasol llosg eu gwledydd fod yn sbardun i ni i ailedrych ar effeithiolrwydd ein ffydd ninnau.

Gweddi Mwslim a Droes yn Gristion

O Dduw, Mustafah, y teiliwr, ydw i, ac rydw i'n gweithio yn siop Muhammed Ali. Trwy gydol y dydd rydw i'n eistedd gan dynnu'r nodwydd a'r edau drwy'r defnydd. Ti, O Dduw, yw'r nodwydd a fi yw'r edau. Yr wyf fi'n rhwym wrthyt ti ac rydw i'n dy ddilyn di. Pan fydd yr edau'n ceisio ymryddhau o'r nodwydd mae'n drysu ac mae'n rhaid ei dorri er mwyn ei roi yn ôl yn y lle iawn. O Dduw, helpa fi i'th ddilyn di ble bynnag y byddi'n fy arwain i. Oherwydd dim ond Mustafah'r teiliwr ydw i, ac rydw i'n gweithio yn siop Muhammed Ali ar y sgwâr mawr.

Gweddi Merch o Affrica

O Bennaeth mawr, goleua gannwyll yn fy nghalon er mwyn i mi fedru gweld beth sydd oddi mewn a sgubo'r sbwriel o'th drigfan di.

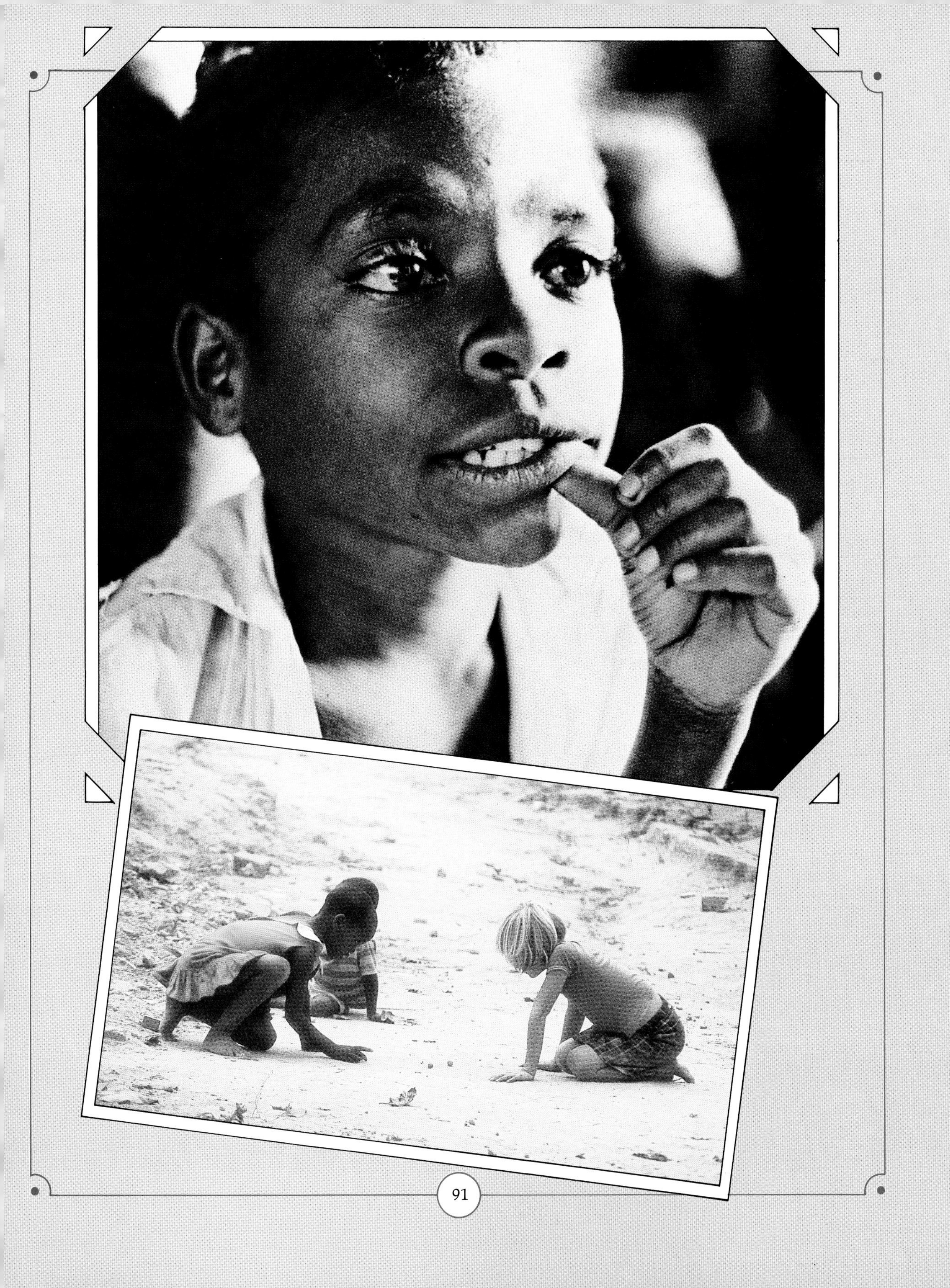

O Bren Calfaria

CHANDRAN DEVANESEN, INDIA

O Bren Calfaria
gwthia dy wreiddiau'n
ddwfn i'm calon.
Casgla bridd fy nghalon,
tywod fy ystyfnigrwydd,
llaid fy nyheadau,
rhwyma nhw ynghyd,
O Bren Calfaria,
clyma nhw â'th wreiddiau cryf,
cordedda nhw â rhwydwaith
dy gariad.

Nkosi Sikilel i Afrika

ANTHEM GENEDLAETHOL
DRADDODIADOL AFFRICA
CYFIEITHWYD GAN ADAM SMALL,
BARDD O CAPE TOWN

Trugarha, Arglwydd
wrth y wlad hon.
Deued dy drugaredd arni
Arglwydd.
Estyn dy ddwylo
Arglwydd
a bendithia'r wlad hon
gwlad sy'n llosgi.
Arglwydd
gwlad sy'n llosgi.
Boed i'th bobl sefyll
ger dy fron di
i gyd.
Barna hwy â'th
farn lem dy hun,
Arglwydd.
Boed i gyfiawnder orchfygu
yn y wlad hon
gwlad sy'n llosgi
Arglwydd
gwlad sy'n llosgi.

Gweddi Cristion Xhosa
DE AFFRICA

Ti yw'r Duw mawr - yr hwn sydd yn y nefoedd.
Ti yw creawdwr bywyd, ti sy'n creu'r parthau oddi uchod.
Ti yw'r heliwr sy'n hela eneidiau.
Ti yw'r arweinydd sy'n mynd o'n blaen ni.
Ti yw'r un â'r dwylo clwyfedig.
Ti yw'r un sydd â'i waed yn nant lifeiriol.
Ti yw'r hwn y tywalltwyd ei waed er ein mwyn ni.

Gweddi Gwraig o China
WEDI IDDI DDYSGU DARLLEN

Yr ydym yn mynd adre at lawer sy'n methu darllen.
Felly, Arglwydd, gwna ni'n Feiblau
fel bod modd i'r rhai na fedrant ddarllen y Llyfr
ei ddarllen ynom ni.

Alan Paton

1903 - 1988

Hwyrach mai nofel Alan Paton, "Cry the Beloved Country" yw un o'r disgrifiadau gorau o fywyd yn Ne Affrica yn ôl trefn apartheid. Enillodd wobrau cyn gynted ag yr ymddangosodd, ac fe wnaed ffilm ac opera ohoni.

Roedd Paton yn aelod o'r eglwys Anglicanaidd. Bu'n dysgu mathemateg, ffiseg a Saesneg, a bu'n bennaeth ysgol ddiwygio. Gweithiodd mewn sefydliad i'r rhai a ddioddefai o'r dicáu o dan nawdd yr elusen Toc H. O 1948 ymlaen ei brif alwedigaeth oedd ysgrifennu, ffuglen a phethau ffeithiol. Ef oedd sefydlydd a chyn-lywydd Plaid Ryddfrydol De Affrica. Gwnaeth y llywodraeth Genedlaethol hi'n anghyfreithlon ym 1968. Ar ôl taith i'r Unol Daleithiau cymerwyd ei basport oddi arno gan awdurdodau De Affrica. "Gosod y mynegbyst ar y ffordd sy'n arwain o ddistryw," oedd disgrifiad un gohebydd o'i waith.

Ymroi i Greu Heddwch

Dyro ddewrder i ni, O Arglwydd, i sefyll i gael ein cyfrif,
i sefyll dros y rhai na fedrant sefyll drostynt eu hunain,
i sefyll dros ein hunain pan fo angen gwneud hynny.
Na foed inni ofni dim yn fwy na thi.
Na foed inni garu dim yn fwy na thi,
oherwydd wedyn nid ofnwn ddim byd.
Na foed i ni gael unrhyw Dduw arall ond tydi,
boed hwnnw'n genedl neu blaid neu wladwriaeth neu eglwys.
Na foed inni chwilio am unrhyw heddwch ond yr heddwch sy'n perthyn i ti,
a gwna ni'n offerynnau iddo,
gan agor ein llygaid a'n clustiau a'n calonnau,
i fod yn ymwybodol o'r gwaith heddychlon y gallwn
ei wneud er dy fwyn di.

Dag Hammarskjöld

1905 - 1961

Disgrifiodd yr awdur "Markings", dyddiadur ysbrydol a gyhoeddwyd ar ôl ei farwolaeth, fel "math o lyfr gwyn sy'n ymwneud â'm trafodaethau â mi fy hun ac â Duw". Pan ddarganfuwyd ef synnwyd llawer a oedd yn adnabod y gwladweinydd cyhoeddus, ond nad oedd yn adnabod yr unigolyn preifat.

Roedd Dag Hammarskjöld yn fab i brifweinidog Sweden. Astudiodd y gyfraith ac economeg, ac ar ôl dysgu economeg gwleidyddol ym mhrifysgol Stockholm cychwynnodd ar yrfa yn y gwasanaeth sifil. Erbyn 1951 gwnaed ef yn ddirprwy weinidog tramor. Ddwy flynedd yn ddiweddarach etholwyd ef yn ail Ysgrifennydd Cyffredinol y Cenhedloedd Unedig. Ei ffordd ef o gyflawni'r swydd oedd trwy fod yn "heddychwr ymarferol". Dyna sut y llwyddodd i osgoi rhyfel yn y Dwyrain Canol yn ystod argyfwng Suez ym 1956. Ym 1960 beirniadodd yr Undeb Sofietaidd ef am anfon milwyr y Cenhedloedd Unedig i'r Congo lle roedd cythrwfl. Flwyddyn yn ddiweddarach lladdwyd ef mewn damwain awyren pan oedd ar ei ffordd i'r wlad honno. Rhoddwyd gwobr heddwch Nobel iddo ar ôl iddo farw.

Duw'r Artist

Yr wyt ti'n gafael yn y pen
ac mae'r llinellau'n dawnsio.
Yr wyt ti'n gafael yn y ffliwt
ac mae'r nodau'n tywynnu.
Yr wyt ti'n gafael yn y brws
ac mae'r lliwiau'n canu.
Felly mae gan bopeth ystyr a phrydferthwch
yn y gofod y tu draw i amser lle yr wyt ti.
Sut, felly, y gallaf fi gadw unrhyw beth rhagot ti?

Trugaredd a Chyfiawnder

Hollalluog,
maddau fy amheuaeth,
fy nicter,
fy malchder.
Yn dy drugaredd
darostwng fi,
yn dy lymder
cod fi.

Dietrich Bonhoeffer

1906 - 1945

"Yr oedd Bonhoeffer yn un o'r ychydig bobl yr wyf wedi eu cyfarfod yr oedd ei Dduw yn real iddo ac yn agos ato," meddai swyddog Prydeinig a garcharwyd gydag ef yn Flossenburg yn Bavaria. Roedd Bonhoeffer yn fab i athro seiciatreg ac fe'i magwyd mewn awyrgylch academaidd. Astudiodd ddiwinyddiaeth ym Merlin ac ym 1930 daeth yn ddarlithydd yno. Ymhen ychydig flynyddoedd daeth Hitler yn flaenllaw. Mor gynnar â 1933 ymosododd Bonhoeffer ar yr ideoleg Natsïaidd mewn darllediad radio. Treuliodd ddwy flynedd yn edrych ar ôl cynulleidfaoedd o Almaenwyr yn Llundain, gan eu hannog i beidio â chyfaddawdu â Hitler fel yr oedd eglwys yr Almaen wedi ei wneud. Yn anochel, fe'i gwaharddwyd rhag darlithio ym 1936.

Gan gredu y dylai Cristnogaeth ymwneud â chymdeithas symudodd yn raddol o fod yn heddychwr at y gred mai dim ond grym a fedrai ddymchwel unben fel Hitler. Ym 1943 arestiwyd ef. Yr oedd ef a'i frawd-yng-nghyfraith yn rhan o gynllwyn i ladd Hitler. Treuliodd y ddwy flynedd nesaf mewn amrywiol garcharau. Nodweddid ef yno gan ei sirioldeb a'i ofal am eraill. Ar 8 Ebrill 1945 cynhaliodd wasanaeth i'w gyd-garcharorion "gan ddod o hyd i'r union air ar gyfer pob un ohonynt", yn ôl un carcharor. Drannoeth cafodd ei grogi. "Dyma'r diwedd," meddai wrth iddo gael ei arwain allan, "dechrau bywyd i mi."

Gweddïau Boreol

Mae tywyllwch ynof fi,
Ond gyda thi y mae goleuni,
Yr wyf fi'n unig, ond nid wyt ti'n fy ngadael.
Yr wyf fi'n wangalon, ond nid wyt ti'n fy ngadael.
Yr wyf fi'n aflonydd, ond gyda thi fe geir tangnefedd.
Ynof fi y mae chwerwder, ond gyda thi y mae amynedd;
Y mae dy ffyrdd di y tu hwnt i ddeall, ond
Gwyddost beth yw'r ffordd i mi.

Arglwydd Iesu Grist
Buost ti'n dlawd
ac mewn trallod, yn garcharor ac wedi dy adael fel fi.
Gwyddost ti am holl ofid dyn;
Yr wyt ti'n aros gyda mi
pan fydd pawb arall wedi fy ngadael;
Nid wyt ti'n anghofio amdanaf, yr wyt yn chwilio amdanaf.
Yr wyt yn ewyllysio fy mod i'n dy adnabod di
ac yn troi atat.
Arglwydd, clywaf dy alwad a dilynaf di;
Helpa di fi.

Yr Archesgob Helder Camara

GANWYD 1909

"Fe'm galwyd i'n bersonol i fod yn bererin heddwch ... byddai'n filwaith gwell gen i gael fy lladd na lladd." I gydnabod yr agwedd hon a sut y gwireddir hi rhoddwyd pedair gwobr heddwch i Helder Camara gan gynnwys gwobr goffa'r Pab Ioan XXIII. Cafodd ddoethuriaeth anrhydeddus gan brifysgolion yn America, Ffrainc a'r Almaen hefyd.

Mae Camara yn Archesgob Olinda a Recife yn ei wlad enedigol, Brasil. Am flynyddoedd lawer mae ef wedi bod wrthi'n ceisio diwygio amgylchiadau cymdeithasol cyfandir De America ac wedi cael cefnogaeth esgobion yn Brasil a gwledydd eraill De America.

Mae'n trefnu cynadleddau sy'n ystyried beth yw tasg yr eglwys yn y broses o hybu cyfiawnder a heddwch. Er gwaethaf gwrthwynebiad llywodraeth Brasil mae'n parhau i wneud ei waith.

Mab Brenin

Arglwydd
on'd yw dy greadigaeth di'n
wastraffus?
Nid yw'r ffrwythau byth yn cyfateb
i'r gormodedd o blanhigion ifainc.
Mae'r ffynhonnau'n tasgu dŵr.
Mae'r haul yn gwasgaru
goleuni anhygoel.
Boed i'th haelioni di ddysgu
haelioni i minnau.
Boed i'th ardderchowgrwydd di
fy nghadw i rhag bod yn gybyddlyd.
Wrth dy weld ti, y rhoddwr
afradlon, yn agor dy law,
boed i minnau roi'n ddiball
fel mab brenin,
fel mab Duw.

Y Fam Teresa o Galcutta

GANWYD 1910

"Y clefyd pennaf heddiw ... yw teimlo nad oes neb yn eich mofyn chi," meddai'r Fam Teresa. Trin y "clefyd" hwn yw nod ei gwaith i gyd. Ganwyd Agnes Gonxha Bojaxhui yn Skopje, Iwgoslafia. Roedd ei rhieni'n dod o Albania. Tra roedd hi'n dal i fod yn yr ysgol cynigiodd fynd i wneud gwaith cenhadol. Ym 1928 anfonwyd hi i Abaty Loreto yn Iwerddon ac oddi yno'r flwyddyn ganlynol i Calcutta i ddysgu daearyddiaeth mewn ysgol i ferched.

Ym 1948 teimlodd ei bod hi'n cael ei galw i adael sicrwydd y cwfaint a mynd i weithio ymhlith y tlotaf o'r tlodion - trigolion strydoedd a slymiau Calcutta. Ar ôl cael caniatâd arbennig oddi wrth y Pab dechreuodd ysgol i blant y stryd, gan ddibynnu'n llwyr ar roddion i wneud hynny. Ymhen blwyddyn yr oedd sawl un o'i chyn-ddisgyblion wedi ymuno â hi. Y rhain oedd y Cenhadon Cariad cyntaf. Ym 1952 cododd y Fam Teresa wraig a oedd yn marw o'r stryd. Yr oedd y llygod a'r morgrug wedi hanner ei bwyta. Ar unwaith sefydlodd Gartref i'r Rhai sy'n Marw mewn adeilad a fu gynt yn deml Hindwaidd. Yn ddiweddarach dechreuodd weithio ymhlith y gwahangleifion ac ymledodd Cenhadon Cariad ar draws India.

Erbyn heddiw mae ganddynt 100 o ganolfannau ledled y byd o America i Brydain. Maent yn gwasanaethu Iesu Grist ac yn ei weld ef ym mherson y tlotaf ymhlith y tlodion.

Gweddi Feunyddiol

MAE'R RHAI SY'N GWEITHIO YNG NGHARTREF PLANT AMDDIFAID CALCUTTA YN DEFNYDDIO'R WEDDI HON

Anwylaf Arglwydd, boed i mi dy weld di heddiw a phob dydd yn dy gleifion, a thrwy ofalu amdanynt hwy, gael gweinidogaethu i ti.

Er i ti ymguddio y tu ôl i orchudd annymunol y grwgnachlyd, y rhai anodd eu plesio a'r rhai afresymol, boed i mi fedru dy adnabod o hyd, a dweud: "Iesu, fy nghlaf, mor hyfryd yw cael dy wasanaethu di."

Arglwydd, dyro i mi'r ffydd sy'n medru gweld. Ni fydd fy ngwaith fyth yn undonog wedyn. Byddaf yn llawenhau wrth fodloni mympwyon a diwallu anghenion pob claf anffodus.

O gleifion annwyl, rydych ddwywaith anwylach i mi am eich bod chi'n personoli Crist; mawr yw fy mraint, fy mod i'n cael eich ymgeleddu chi.

Anwylaf Arglwydd, helpa fi i amgyffred urddas fy ngalwedigaeth, a'i hamrywiol gyfrifoldebau. Cadw fi rhag dwyn gwarth arni trwy fod yn oeraidd, yn angharedig, neu'n ddiamynedd.

Ac O Dduw, tra byddi di yn Iesu, fy nghlaf, bydd amyneddgar wrthyf gan oddef fy meiau, gan ystyried fy mwriad yn unig - i'th wasanaethu di ym mherson pob un o'th gleifion di. Arglwydd, cynydda fy ffydd, bendithia fy ymdrechion a'm gwaith, yn awr ac yn oes oesoedd.

Amen.

Carmen Bernos de Gasztold

Casgliad unigryw o weddïau/gerddi yw "Gweddïau o'r Arch". Fe'u hysgrifennwyd o safbwynt anifeiliaid ond dywedir llawer ynddynt am y natur ddynol. Ysgrifennwyd y rhan fwyaf ohonynt pan feddiannwyd Ffrainc gan yr Almaenwyr. Yr adeg honno yr oedd yr awdur yn ceisio cael dau pen llinyn ynghyd trwy weithio mewn ffatri sidan. Ysgrifennai, wedi ei lapio mewn hen gwrlid, mewn llofft rynllyd tra roedd gweddill ei theulu'n eistedd o gwmpas y stôf gynnes ar y llawr.

Ganwyd Carmen de Gasztold yn Bordeaux. Roedd hi'n ferch i athro prifysgol a oedd yn byw mewn tlodi parhaus am fod afiechyd meddyliol arno a bod hynny'n ei rwystro rhag dysgu Sbaeneg. Pryd bynnag yr oedd pethau'n mynd yn rhy anodd yn y cartref anfonwyd y plant hynaf i ffwrdd. Bu hyn yn ofid mawr i Carmen. Pan oedd hi'n un ar bymtheg mlwydd oed, wedi i'w thad farw, dechreuodd roi gwersi preifat i blant, ond gan ei bod hi mor swil cerddai o gwmpas tai ei disgyblion ar y dechrau gan ofni mynd i mewn. Yn y diwedd achosodd y dysgu a thorri dyweddïad afiechyd nerfol. Ymgeleddwyd hi gan leianod yr Abbaye yn Limon-par-Igny, ac yn raddol daeth hi'n well. Mae hi'n dal i fyw yno. Mae hi'n byw mewn ystafell yn y tŵr, a fu'n golomendy gynt. Mae'n ysgrifennu, yn gweithio yn y llyfrgell ac yn gosod gwydr lliw.

Gweddi'r Ych

Dduw annwyl, dyro amser i mi.
Mae dynion bob amser ar gymaint o frys!
Helpa nhw i ddeall na fedraf i ruthro.
Dyro i mi amser i fwyta.
Dyro i mi amser i gerdded.
Dyro i mi amser i gysgu.
Dyro i mi amser i feddwl.

Gweddi Iâr Fach yr Haf

Arglwydd!
Beth roeddwn i'n ei ddweud?
O ie! Y blodyn hwn, yr haul hwn,
Diolch iti! Mae dy fyd di'n brydferth!
Y sawr rhosynnau yma ...
Beth roeddwn i'n ei ddweud?
Diferyn o wlith
yn treiglo i befrio yng nghalon lili.
Mae'n rhaid imi fynd ...
I ble? Wn i ddim!
Mae'r gwynt wedi peintio patrymau
ar fy adenydd.
Patrymau ...
Beth roeddwn i'n ei ddweud?
O ie! Arglwydd,
roedd gen i rywbeth i'w ddweud wrthyt ti:
Amen.

Thomas Merton

1915 - 1968

Ym 1941 yn lle bod yn athro Saesneg mewn prifysgol, ar ôl iddo fod yn astudio yn Lloegr, Ffrainc a'r Unol Daleithiau, aeth Thomas Merton i fynachlog Gethsemani yn Kentucky, mynachlog y Trapyddion, i ddechrau byw bywyd o dawelwch. Treuliodd weddill ei fywyd yno, ond ni fu'r bywyd hwnnw'n ddi-nod. Ef ym marn rhai oedd y "person pwysicaf yng Nghatholigrwydd America". Ysgrifennodd ar bynciau amrywiol: ysbrydolrwydd y dwyrain a'r gorllewin, gwleidyddiaeth radicalaidd, "tadau'r anialwch" yn yr eglwys fore, heddychiaeth a'r ras arfau niwclear.

Gallai'r gerdd hon, a elwir yn salm gan yr awdur, gael ei galw'n weddi yn ôl diffiniad yr hen werinwr o Ffrainc a ddywedodd, pan holodd rhywun iddo beth a wnâi pan eisteddai yng nghefn yr eglwys, "Rydw i'n edrych ar Dduw, ac mae e'n edrych arna' i ac rydyn ni'n hapus". Mae'r gerdd yn cyfleu awyrgylch bywyd mewn mynachlog.

Y Darllenydd

Arglwydd, pan fydd y cloc yn taro
Yn nodi'r amser gyda'i sŵn metelaidd, oer,
A minnau'n eistedd yn fy nghwfl wrth y ddarllenfa hon

Yn aros i'r mynachod gyrraedd
Gwelaf y cosynnau cochion, a'r powlenni
Llawn o laeth yn gwenu'n rhesi ar eu byrddau.

Mae goleuni'n llenwi fy myd
(Yr wyf wedi cael golau er mwyn darllen
gyda chadwyn fach sy'n tincial)

A daw'r mynachod lawr drwy'r clwystr
Eu dillad mor huawdl â dŵr.
Nid wyf yn eu clywed hwy ond clywaf y tonnau.

Mae hi'n aeaf, ac mae fy nwylo'n ymbaratoi
I droi tudalennau'r saint:
Mae dy leuad wedi rhewi'n gorn
wrth y ffenestri
Bydd fy nhafod yn canu dy Ysgrythur di.

Oeda'r mynachod ar y gris
(Gyda fi yn y ddarllenfa hon
a thithau acw ar dy groesbren)
Gan gasglu perlau bach o ddŵr
ar flaen eu bysedd
llai na hon, fy salm.

Carl Burke

GANWYD 1917

Yr oedd "God is for real, man", a'r casgliadau eraill a'i dilynodd ar ddiwedd y 1960au, yn fath newydd o lyfr gweddi a ysgrifennwyd ar gyfer tramgwyddwyr ifainc a chanddynt hwy. Maent yn disgrifio, yn eu hiaith unigryw hwy eu hunain yn aml, eu hymchwil am Dduw a sut yr oeddent wedi darganfod ei fod ef yn medru newid eu bywydau.

Ei brofiad ef ei hun a ysgogodd Carl Burke i fynd ati i'w casglu. Yn ogystal â gweinidogaethu am dair blynedd ar ddeg yn Efrog Newydd bu'n gyfarwyddwr gwersylloedd therapiwtig i blant a oedd mewn perygl ac i'r rhai a gafwyd yn euog o droseddu. Ers 1963 mae ef wedi bod yn gaplan i'r Carchar a'r Cartref Cadw i Blant yn Swydd Erie.

Chwilio

Wyt ti'n gwybod sut deimlad
yw chwilio am rywun i'w garu
heb ddod o hyd i unrhyw un?

Pam, O Dduw,
y bu'n rhaid i hyn ddigwydd
i'm gorfodi i i ddod o hyd
i mi fy hun?

Ble rwyt ti wedi bod?
Ble rwyf fi wedi bod?
Ydy hi'n rhy hwyr i fi?
Oes yna gyfle arall?

Meddwl gyda Phob Peth

Dduw annwyl, gwna i mi feddwl
am yr hyn yr ydw i'n ei wneud
gyda fy meddwl
gyda fy nghorff
gyda fy arferion
gyda fy astudiaethau
gyda fy ffrindiau
gyda fy ngobeithion
gyda fy rhieni
gyda fy ffydd
gyda bywyd.

Michel Quoist

GANWYD 1918

Ers iddo gael ei gyhoeddi ym 1963 mae llyfr yr Abbé Quoist, "Prayers of Life" wedi bod yn un o'r llyfrau gweddi a ddefnyddir amlaf, ac yn un o'r rhai mwyaf poblogaidd, yn y byd. Yn y gweddïau adlewyrchir dau o brif ddiddordebau'r awdur: pobl ifainc a'r tlodion. Pan oedd yn ysgrifennu traethawd ar gyfer ei ddoethuriaeth mewn Astudiaethau Cymdeithasol a Gwleidyddol yr oedd yn byw yn un o ardaloedd tlotaf Paris er mwyn dod i wybod rhagor am y pwnc yr oedd yn ei drafod.

Bu Michel Quoist yn offeiriad plwyf am dipyn yng nghanol Le Havre, lle y ganwyd ef. Ar hyn o bryd mae'n gweithio fel caplan i grwpiau a chlybiau ieuenctid y ddinas honno. Ysbrydolir ei weddïau, fel y mae'r teitl yn ei awgrymu, gan olygfeydd o fywyd bob dydd: gosod briciau, cael sgwrs ar y ffôn, gwylio gêm bêl-droed o dan y llifoleuadau, pen moel. "Does dim sy'n secwlar," meddai yn un ohonynt, " am eu bod yn tarddu yn Nuw gwnaed popeth yn gysegredig."

Fy Ffrind

Ysgydwais law â fy ffrind, Arglwydd,
Ac yn sydyn, pan welais ei wyneb trist, pryderus,
ofnais nad oeddet ti yn ei galon.
Roeddwn i mor gynhyrfus ag yr ydw i o flaen tabernacl caeëdig
pan nad oes golau i ddangos dy fod di yno.
Pe na baet ti yno, Arglwydd, fe fyddai fy ffrind a minnau wedi'n gwahanu.
Dim ond cnawd mewn cnawd fyddai ei law ef yn fy llaw i
A chariad dyn at ddyn fyddai ei gariad ef.
Rydw i eisiau i'w fywyd fod yn eiddo i ti, yn ogystal ag i fi.
Oherwydd dim ond ynot ti y gall ef fod yn frawd i mi.

Y Ffens Wifren

Mae'r gwifrau'n dal dwylo o gwmpas y tyllau:
I osgoi torri'r cylch, maent yn dal arddwrn
eu cymydog yn dynn,
Ac felly maent yn gwneud ffens o dyllau.

Arglwydd, mae llawer o dyllau yn fy mywyd i,
Mae rhai ym mywydau fy nghymdogion.
Ond os mynni di fe afaelwn ni yn nwylo'n gilydd,
Gafael yn dynn, dynn
A gyda'n gilydd fe wnawn rolyn da o ffens
i addurno Paradwys.

Henri Nouwen

GANWYD 1932

Ym 1974 treuliodd Henri Nouwen saith mis gyda'r mynachod Trapaidd yn Abaty Genesee yn Efrog Newydd, i ddysgu mwy am y bywyd ysbrydol. Ffrwyth ei brofiad yno yw "Genesee Diary", llyfr sy'n cael ei ystyried yn un o'r clasuron Cristnogol modern. Bum mlynedd yn ddiweddarach aeth yn ôl i Genesee am chwe mis arall i dreiddio'n ddyfnach i'r bywyd o weddi a myfyrdod. Fel disgyblaeth bersonol ysgrifennodd un weddi bob dydd a chyhoeddwyd detholiad ohonynt o dan y teitl,"A Cry For Mercy". "Dim ond y muriau sy'n amgylchynu lle gwag yw fy ngeiriau i," meddai'r awdur amdanynt, "maent yn cuddio gweddi Duw, na ellir mo'i chyhoeddi mewn llyfr."

Ganwyd Henri Nouwen yn Yr Iseldiroedd ond mae'n byw yn America ers blynyddoedd, yn dysgu, yn darlithio ac yn ysgrifennu. Daeth yn aelod o'r gymuned yn Genesee; ar hyn o bryd mae'n byw gydag un o gymunedau L'Arche yn Canada, yn byw ac yn gweithio gyda phobl sydd o dan anfantais meddyliol.

Anawsterau wrth Weddïo

Pam y mae hi mor anodd i gadw fy nghalon wedi ei chyfeirio atat ti, Arglwydd? Pam y mae'r llu o bethau bach yr ydw i am eu gwneud, a'r llu o bobl yr wyf yn eu hadnabod yn tyrru i'm meddwl, hyd yn oed yn ystod yr oriau pan wyf yn hollol rydd i fod gyda thi, a thi yn unig? Pam y mae fy meddwl yn mynd i grwydro i gynifer o gyfeiriadau, a phaham y mae fy nghalon yn deisyf y pethau sy'n fy nhynnu ar gyfeiliorn? Onid wyt ti'n ddigon i mi? Ydw i'n amau dy gariad a'th ofal, dy ras a'th drugaredd? Ydw i'n dal i ddyfalu, yng nghraidd fy mod, a fyddi di'n rhoi popeth y mae ei angen arnaf i mi os cadwaf fy llygaid wedi eu hoelio arnat ti?

Derbyn y pethau sy'n tynnu fy sylw, fy mlinder, fy nicllonedd, fy nghrwydriadau annheilwng. Yr wyt ti'n fy adnabod i'n well nag yr wyf fi'n fy adnabod fy hun. Yr wyt ti'n fy ngharu i'n fwy nag y gallaf fy ngharu fy hun. Yr wyt yn cynnig mwy i mi nag y gallaf ei chwennych. Edrych arnaf, edrych arnaf yn fy holl ddiflastod a'm dryswch mewnol, a gad imi synhwyro dy bresenoldeb yng nghanol fy helbul. Y cyfan y gallaf ei wneud yw dangos fy hun i ti. Eto, yr wyf yn ofni gwneud hynny. Rydw i'n ofni y byddi di'n fy ngwrthod i. Ond gwn - trwy ffydd - dy fod ti am roi dy gariad i mi. Yr unig beth a ofynni oddi wrthyf yw peidio â chuddio oddi wrthyt, peidio â rhedeg i ffwrdd mewn anobaith, peidio â gweithredu fel pa baet ti'n unben didostur.

Cymer fy nghorff lluddedig, fy meddwl dryslyd, a'm henaid aflonydd i'th freichiau a dyro orffwys i mi, gorffwys syml, tawel. Ydw i'n gofyn am ormod yn rhy fuan? Ni ddylwn boeni am hynny. Fe roddi di wybod i mi. Tyrd, Arglwydd Iesu, tyrd. Amen.

Cymuned Taizé

SEFYDLWYD 1940

Wedi i'r Ail Ryfel Byd gychwyn dechreuodd Roger Schutz guddio Iddewon a ffoaduriaid eraill mewn tŷ mawr yn Mwrgwyn, gerllaw hen abaty Cluny. Oherwydd gweithgareddau'r Gestapo bu'n rhaid iddo fynd oddi yno ym 1942, ond daeth yn ôl ddwy flynedd yn ddiweddarach, gyda thri arall, i ddechrau cymuned ecwmenaidd. Ym 1949 tyngodd y saith brawd cyntaf lw, i fod yn ddiwair, i ufuddhau i awdurdod ac i rannu eu holl eiddo. Erbyn hyn mae Taizé yn gymuned ecwmenaidd, gyda dros saith deg o aelodau'n perthyn iddi. Yn eu plith ceir mynachod o Urdd St. Ffransis ac o eglwys Uniongred y Dwyrain. Y Brawd Roger yw'r Prior.

Yn ystod misoedd yr haf mae pobl ifainc o bob man yn y byd yn ymgasglu yn Taizé i astudio ac i fyfyrio. Ysgogodd hyn sefydlu rhwydwaith o gelloedd bach ledled y byd. Mae'r rhain yn ymgymryd â phob math o brosiectau cymdeithasol, sy'n amrywio o ymchwil gwyddonol i olchi llestri. Ffurfiwyd Cyngor Ieuenctid y Byd i gyd-lynu arbrofion y bobl ifainc hyn â byw'r bywyd Cristnogol.

Symlrwydd a Llawenydd

O REOL BUCHEDD TAIZE

O Arglwydd Grist, helpa ni i gadw'n hunain mewn symlrwydd
ac mewn llawenydd, llawenydd y trugarog, llawenydd cariad
brawdol. Caniatâ, gan wrthod edrych yn ôl ac yn llawen mewn
diolchgarwch, na fydd arnom ofn blaenori'r wawr, i foli,
i fendithio, ac i ganu i Grist ein Harglwydd.

Gweddi am Gymod

GAN Y BRAWD ROGER A'R FAM TERESA O GALCUTTA

O Dduw, Tad pawb oll,
yr wyt ti'n gofyn i bob un ohonom gyfleu
cariad lle mae'r tlawd yn cael eu sarhau,
llawenydd lle mae'r eglwys yn cael ei darostwng,
a chymod lle mae pobl yn rhanedig,
y tad yn erbyn y mab, y fam yn erbyn y ferch,
y gŵr yn erbyn y wraig,
credinwyr yn erbyn y rhai na all gredu,
Cristnogion yn erbyn eu cyd-Gristnogion nas cerir.
Yr wyt ti'n agor y ffordd hon i ni,
fel bod corff drylliedig Iesu Grist, dy eglwys di,
ym medru bod yn lefain cymundeb i dlodion y ddaear
ac yn yr holl deulu dynol.

Wedi'n Rhyddhau

GWEDDI'R BRAWD ROGER

O Grist,
yr wyt ti'n cymryd ein holl feichiau arnat ti dy hun,
fel bod modd i ni,
wedi'n rhyddhau o afael popeth sy'n pwyso arnom,
fedru dechrau cerdded o'r newydd
gyda chamau ysgafnach,
oddi wrth bryder tuag at ymddiriedaeth,
oddi wrth y cysgodion tuag at y dŵr clir, rhedegog,
oddi wrth ein hewyllys ni ein hunain
tuag at y weledigaeth o'r Deyrnas sydd yn dod.
Ac yna fe fyddwn yn gwybod
er mai prin y meiddiwn obeithio,
dy fod di'n cynnig gwneud pob bod dynol
yn adlewyrchiad o'th wyneb di.

Gwna Ni'n Wasanaethyddion

GWEDDI'R BRAWD ROGER

Arglwydd Grist,
yr wyt ti'n aros, yn anweledig,
wrth ein hochr,
yn bresennol fel dyn tlawd
sy'n golchi traed ei ffrindiau.
A ninnau,
sydd i ddilyn ôl dy draed di,
yr ydym ni yma, yn aros i ti
awgrymu ffyrdd o rannu
a fydd yn ein gwneud ni'n wasanaethyddion
dy Efengyl di.

Gweddi Eglwys Gadeiriol Coventry

1964

Ar 14 Tachwedd 1940 hedfanodd awyrennau rhyfel yr Almaen dros ganol Lloegr. Llosgwyd eglwys gadeiriol Coventry, a oedd yn dyddio o'r Canol Oesoedd, i'r llawr. Dim ond cragen oedd ar ôl. Am fod cymaint o'r ddinas wedi cael ei dinistrio daeth Coventry yn enw mor gyfarwydd ledled y byd â Dresden.

Ym 1962 cysegrwyd adeilad newydd. Mae'r eglwys wedi dod yn ganolfan cymod rhwng y rhai a fu gynt yn elynion. Yn yr adfeilion saif allor. Arni mae croes a wnaed o hoelion ac un arall a wnaed o bren gydag ôl llosgi arno. O flaen yr allor hon cynhelir gwasanaeth byr bob amser cinio. Defnyddir y litani a welir isod. Fe'i cyfansoddwyd ar gyfer Gŵyl Myfyrwyr Rhyngwladol a gynhaliwyd yn Chwefror 1964 ac ysgrifennwyd hi ar blac sydd o flaen yr allor.

O Dad, Maddau

Yr atgasedd sy'n gwahanu cenedl oddi wrth genedl,
llwyth oddi wrth lwyth, dosbarth oddi wrth ddosbarth,
O Dad, maddau.
Awydd trachwantus cenhedloedd
i feddiannu yr hyn nad yw'n eiddo iddynt hwy,
O Dad, maddau.
Y trachwant sy'n ymelwa ar lafur dynion,
ac yn difwyno'r ddaear,
O Dad, maddau.
Ein cenfigen yng ngŵydd llwyddiant a llawenydd eraill,
O Dad, maddau.
Ein difrawder wrth weld cyflwr y digartref a'r ffoaduriaid,
O Dad, maddau.
Y blys sy'n camddefnyddio cyrff gwŷr a gwragedd,
O Dad, maddau.
Y balchder sy'n ein harwain i ymddiried ynom ein hunain ac nid yn Nuw,
O Dad, maddau.

Gweddïau Byr

" ... wrth weddïo, peidiwch â phentyrru geiriau ..." meddai Iesu Grist wrth ei ddisgyblion. Mae llawer o Gristnogion wedi dilyn y cyngor hwn ac wedi cyfansoddi gweddïau byr, cryno.

Gweddi'r Iesu

Mae mynachod Eglwys Uniongred y Dwyrain yn defnyddio'r weddi hon, a seiliwyd ar eiriau'r cardotyn dall a iachawyd gan Iesu, fel sail i'w myfyrdod.

Arglwydd Iesu, Grist, Fab Duw,
trugarha wrthyf fi, bechadur!

Ar Ddiwedd y Dydd

Mae'r weddi hon yn un o'r gweddïau Cristnogol cyntaf a gofnodwyd.

Ymaith â thi, Satan, o'r porth hwn a'r bedair wal yma.
Nid oes lle i ti yma; nid oes dim i ti i'w wneud yma.
Lle Pedr, Paul a'r efengyl sanctaidd yw hwn; a dyma
lle yr wyf finnau'n bwriadu cysgu, gan fy mod i wedi
offrymu fy addoliad, yn enw'r Tad a'r Ysbryd Glân.

Gweddïau o Gymru

Mae gweddïau byrion Cymru yn aml ar ffurf englyn, pennill pedair llinell sy'n un o'r pedwar mesur ar hugain traddodiadol.

Dyfnallt

Dduw hael, pâr im addoli - d'enw mawr,
Dyna mwy fy ngweddi;
Buost fwyn, achubaist fi
O waelodion fy ngh'ledi.

William Siôn Wynn

Duw Iôr, cynnal f'enaid rhag ceunant - serth,
Lle syrthiodd pob methiant;
Duw, pâr iddo neidio'r nant
Ac ennill y gogoniant.

Anhysbys

Duw'r gwenith a'r gwlith a'r glaw, - Duw'r bydoedd,
Duw'r bedw a'r ysgaw,
A'i haul ar ei ddeheulaw,
A'i loer ar ei aswy law.

Anhysbys

Ni drueiniaid yr anial, - rho inni
D'arweiniad a'th ofal,
A chadw rhag myned ar chwâl
Ein cenedl. Tyrd i'n cynnal.

W. Rhys Nicholas

1914 -

Brodor o Degryn yn Sir Benfro. Bu'n weinidog gyda'r Annibynwyr hyd at ei ymddeoliad ym 1983. Ef yw awdur un o emynau Cymraeg mwyaf poblogaidd yr ugeinfed ganrif, "Tydi a wnaeth y wyrth ..."

Dyma un arall o'i emynau. Ynddo ceir cyfres o weddïau byr sy'n addas ar gyfer ein dyddiau ni.

O! Ddatodwr canolfuriau,
Maddau gulni ffôl ein hoes,
Tyn ni allan i'r ehangder
Lle y profir grym y Groes.

O! Ddirymwr pob gelyniaeth,
Maddau'n casinebau cudd,
Lladd yr ofnau a'r amheuon
Sydd yn diffodd fflam ein ffydd.

O! Greawdwr anian newydd,
Maddau ein rhagfarnau hen,
Dyro inni galon burach
Fydd yn troi pob gwg yn wên.

O! Dywysog ein tangnefedd,
Maddau falchder ym mhob gwlad,
Gwna ni oll yn ostyngedig
I feddiannu gras y Tad.

O! Wneuthurwr mawr y cymod,
Maddau bellter blin ein byw,
Tyn ni atat o'n gwrthryfel
Fel y byddom blant i Dduw.

Salm 23 i Bobl Brysur
Toki Miyashina

Mae'n debyg fod Salm 23, "Yr Arglwydd yw fy mugail", wedi cael ei gosod ar gerddoriaeth ac wedi cael ei haralleirio yn amlach nag unrhyw ran arall o'r Beibl. Mae'r fersiwn modern hwn o Japan yn addas iawn ar gyfer darllenwyr yr ugeinfed ganrif - yn enwedig os ydynt yn byw mewn dinas.

Yr Arglwydd yw fy amserogydd, ni ruthraf;
efe a wna i mi aros a gorffwys am gyfnodau tawel,
efe a rydd imi ddelweddau o lonyddwch,
sy'n adfer fy serenedd.
Efe a'm harwain ar hyd llwybr effeithiolrwydd,
trwy dawelwch meddwl;
a'i arweiniad ef sydd dangnefedd.
Ie, er bod gennyf lawer o bethau i'w cyflawni bob dydd

ni phoenaf, oherwydd y mae ei bresenoldeb ef yma,
bydd ei ddiamserogrwydd, a'i holl-bwysigrwydd yn fy
nghadw i mewn cydbwysedd.
Efe a arlwya adnewyddiad ac adfywiad yng nghanol
gweithgareddau,
trwy eneinio fy meddwl ag olew ei lonyddwch:
fy ffiol o ynni llawen sy'n gorlifo.
Cytgord ac effeithiolrwydd yn ddiau a fyddant
yn ffrwyth fy oriau
a cherddaf ar gyflymder fy Arglwydd
a phreswylio yn ei dŷ ef yn dragywydd.

Bendith a Mawlgan

Yn union fel y mae ffrindiau am ddweud rhywbeth cofiadwy wrth ymadael, megis "Edrych ar dy ôl dy hun", felly mae'n naturiol bod gan Gristnogion ddywediadau arbennig i'w hadrodd ar ddiwedd addoliad. Gweddi fer o fawl i Dduw yw mawlgan. Fe'i defnyddir naill ai ar ddiwedd gwasanaeth neu ar ddiwedd adran neilltuol yn y gwasanaeth. Yr oedd arweinwyr yr eglwys fore, megis yr apostol Paul, yn rhoi mawlgan yn eu llythyron at yr eglwysi hefyd. Mae bendith yn cael ei chyfeirio at yr addolwyr ond at Dduw hefyd, yn anuniongyrchol, i ofyn iddo barhau i roi'r pethau da y mae wedi eu haddo i'w bobl.

Mae bendith a mawlgan wedi cael eu defnyddio gydol hanes yr eglwys, ac fel y dengys yr enghraifft o waith Martin Luther King, maent yn dal i gael eu cyfansoddi heddiw.

"Y Gras"

2 CORINTHIAID 13: 14

Gras ein Harglwydd Iesu Grist,
a chariad Duw,
a chymdeithas yr Ysbryd Glân
fyddo gyda chwi oll!

Mawlgan o Eiddo Paul

EFFESIAID 3: 20 - 21

Iddo ef, sydd â'r gallu ganddo i wneud yn anhraethol well na dim y gallwn ni ei ddeisyfu na'i ddychmygu, trwy'r gallu sydd ar waith ynom ni, iddo ef y bo'r gogoniant yn yr eglwys ac yng Nghrist Iesu, o genhedlaeth i genhedlaeth, byth bythoedd! Amen.

Caneuon o Fawl o Lyfr y Datguddiad

Teilwng wyt ti, ein Harglwydd a'n Duw,
i dderbyn y gogoniant a'r anrhydedd a'r gallu,
oherwydd tydi a greodd bob peth,
a thrwy dy ewyllys y daethant i fod ac y crewyd hwy.

Teilwng yw'r Oen a laddwyd i dderbyn
gallu, cyfoeth, doethineb a nerth,
anrhydedd, gogoniant a mawl.

I'r hwn sy'n eistedd ar yr orsedd ac i'r Oen
y bo'r mawl a'r anrhydedd a'r gogoniant a'r nerth
byth bythoedd!

Amen.
I'n Duw ni y bo'r mawl
a'r gogoniant a'r doethineb a'r diolch
a'r anrhydedd a'r gallu a'r nerth
byth bythoedd!
Amen!

Mawlgan o'r Aifft

O'R DRYDEDD GANRIF

Na foed i unrhyw un o greadigaethau yr Arglwydd
ymddistewi ddydd na nos.
Sêr disglair, mynyddoedd uchel, dyfnderoedd y môr,
tarddle afonydd rhedegog:
boed i'r rhain i gyd ymuno yn y gân wrth i ni ganu
i'r Tad, a'r Mab a'r Ysbryd Glân.
Boed i'r holl angylion yn y nefoedd ateb:
Amen! Amen! Amen!
Gallu, mawl, anrhydedd, gogoniant tragwyddol
a fo i Dduw, unig Roddwr gras.
Amen! Amen! Amen!

Bendith Draddodiadol

Mae'r fendith hon a seiliwyd ar adnod agoriadol Salm 67 wedi cael ei hailadrodd ers y seithfed ganrif cyn Crist o leiaf, ac fe'i mabwysiadwyd gan yr eglwys Gristnogol.

Bendithied yr Arglwydd ni a chadwed ni, llewyrched yr
Arglwydd ei wyneb arnom a thrugarhaed wrthym,
dyrchafed yr Arglwydd lewyrch ei wyneb arnom a rhodded
i ni dangnefedd.

Bendithio Pryd o Fwyd

ENGLYN W.D.WILLIAMS SYDD WEDI DOD YN BOBLOGAIDD IAWN YNG NGHYMRU

O! Dad, yn deulu dedwydd - y deuwn
Â diolch o newydd,
Cans o'th law y daw bob dydd
Ein lluniaeth a'n llawenydd.

Mawlgan a Genir yn Aml yng Nghymru

CYFIEITHIAD HOWELL HARRIS O FAWLGAN THOMAS KEN

I Dad y trugareddau i gyd
Rhown foliant, holl drigolion byd;
Llu'r nef, moliennwch Ef ar gân -
Y Tad, a'r Mab, a'r Ysbryd Glân.

Thomas Ken

1637 - 1711

Roedd Thomas Ken yn emynydd poblogaidd ac yn awdur llyfrau defosiynol. Roedd yn Esgob Caerfaddon a Wells yn ne-orllewin Lloegr ac yn gaplan i'r Brenin Siarl II. Yng nghyfnod y Brenin Iago'r II carcharwyd ef yn Nhŵr Llundain gyda chwech esgob arall, a phan wrthododd dyngu llw o ffyddlondeb i William a Mary collodd ei esgobaeth.

Bendith ac anrhydedd, diolch a mawl
mwy nag y gallwn ni ei fynegi a fo i ti,
O Drindod ogoneddus, y Tad, y Mab a'r Ysbryd Glân,
gan yr holl angylion, yr holl bobl, yr holl greaduriaid
yn oes oesoedd Amen ac Amen.
I Dduw'r Tad, a'n carodd ni'n gyntaf,
a'n gwneud yn gymeradwy yn yr Anwylyd;
I Dduw'r Mab, a'n carodd ni,
a'n golchi oddi wrth ein pechodau yn ei waed ei hun;
I Dduw'r Ysbryd Glân,
sy'n tywallt cariad Duw ar led yn ein calonnau,
y bo'r holl gariad a'r gogoniant dros amser a holl
dragwyddoldeb. Amen.

Martin Luther King

1928 - 1968

Dechreuodd King ymwneud â mudiad hawliau sifil y dynion duon pan oedd yn gweinidogaethu fel bugail eglwys y Bedyddwyr ym Montgomery, Alabama. Am fod tactegau Gandhi yn yr India wedi gwneud argraff fawr arno aeth ati i weithredu yn ddi-drais, gan annog pobl i beidio â defnyddio bysys, i orymdeithio, ac annog Americaniaid duon i gofrestru fel etholwyr. Trwy ei ymgyrchu cafwyd dwy Ddeddf Hawliau Sifil.

Ym 1968 saethwyd ef yn farw ym Memphis gan ddyn gwyn. Cyhoeddodd y fendith hon wrth ymadael â'i gynulleidfa ym Montgomery er mwyn rhoi ei amser i gyd i ymgyrchu gwleidyddol.

Ac yn awr i'r hwn sy'n medru'n cadw ni rhag
syrthio ac sy'n ein codi ni o ddyffryn tywyll anobaith
i fynydd disglair gobaith, o hanner nos digalondid
i'r wawr o lawenydd; iddo ef y byddo'r gallu
a'r awdurdod, yn oes oesoedd.

Mynegai i'r Testunau

Mae'r rhain yn cyfeirio at brif destunau'r gweddïau, nid o angenrheidrwydd at y teitlau.
Mae ambell weddi'n cael ei rhestru o dan sawl pennawd.

Mynegai i'r Awduron

Cydnabyddiaethau

Cafodd y gweddïau canlynol eu dyfynnu neu eu cyfieithu trwy ganiatâd caredig y sawl sydd â'r hawlfraint.

Gweddïau'r Beibl o'r *Beibl Cymraeg Newydd*, 1988 trwy ganiatâd Cymdeithas y Beibl.

"Deisyfiad Manchán o Liath" a "Haelioni Crist" o *A Celtic Miscellany*" gan Kenneth H. Jackson, trwy ganiatâd Routledge a Kegan Paul Cyf.

Anselm "Dyheu am Dduw" a "Galwad i Fyfyrio" o *The Prayers and Meditations of St Anselm* gan Benedicta Ward trwy ganiatâd Llyfrau Penguin Cyf.

Amy Carmichael, "Nid yw Hi'n Bell" o *Edges of his Ways* gan Amy Carmichael trwy ganiatâd SPCK.

Corrie ten Boom, "Y Guddfan", "Dioddefaint" a "Gweddi Casper ten Boom" o *Each New day With Corrie ten Boom* gan Corrie ten Boom trwy ganiatâd Cyhoeddiadau Kingsway Cyf.

"Gweddi Mwslim a Droes yn Gristion", Gweddi Cristion Xhosa" a Gweddi Gwraig o China" o *Morning, Noon and Night* trwy ganiatâd CMS.

Alan Paton, "Ymroi i Greu Heddwch" o *Instrument of Thy Peace*, gan Alan Paton trwy ganiatâd Gwasg Seabury, Efrog Newydd.

Dag Hammarskjöld, "Duw'r Artist" a "Trugaredd a Chyfiawnder" o *Markings* a gyfieithwyd o'r Swedeg gan W.H.Auden a Leif Sjoberg, trwy ganiatâd Faber a Faber Cyf.

Dietrich Bonhoeffer, "Gweddïau Boreol" o *Letters and Papers From Prison* gan Dietrich Bonhoeffer, yr argraffiad estynedig, trwy ganiatâd Gwasg SCM.

Y Fam Teresa, "Gweddi Feunyddiol" o *Something Beautiful For God* gan Malcolm Muggeridge, trwy ganiatâd Collins a'r Cwmni Cyf.

Carmen Bernos de Gasztold, "Gweddi'r Ych" a "Gweddi Iâr Fach yr Haf"o *Prayers from the Ark* gan Carmen Bernos de Gasztold a gyfieithwyd gan Rumer Godden, trwy ganiatâd Macmillan, Llundain a Basingstoke.

Thomas Merton, "Y Darllenydd", o *The Collected Poems of Thomas Merton*, trwy ganiatâd Gwasg Sheldon.

Carl Burke, "Chwilio" a "Meddwl Gyda Phob Peth" o *Treat me Cool* gan Carl Burke, a gyhoeddwyd gan Lyfrau Clawr Papur Fount, trwy ganiatâd William Collins a'r Cwmni Cyf.

Michel Quoist, "Fy Ffrind" a "Ffens Wifren" o *Prayers Of Life* gan Michel Quoist, trwy ganiatâd Gill a Macmillan Cyf.

Henri Nouwen, "Anawsterau Wrth Weddïo" o *Cry for Mercy* gan Henri J.M.Nouwen, trwy ganiatâd Gill a Macmillan Cyf.

Gweddïau o Taizé, "Symlrwydd a Llawenydd", "Gweddi Am Gymod", ""Wedi'n Rhyddhau" a "Gwna Ni'n Wasanaethyddion" trwy ganiatâd A.R.Mowbray a'r Cwmni Cyf.

'O Dad, Maddau", trwy ganiatâd Eglwys Gadeiriol Coventry.

Y "Te Deum", y colectau, "Ymgyflwyniad i Duw" (Ignatius o Loyola), ac "O Arglwydd, Cynnal Ni" (John Henry Newman) o *Y Cymun Bendigaid* a *Y Foreol a'r Hwyrol Weddi*, trwy ganiatâd Gwasg Yr Eglwys yng Nghymru.

W. Rhys Nicholas, o *Cerddi Mawl* gan W. Rhys Nicholas, trwy ganiatâd Gwasg John Penry.

Yr englynion o *Y Flodeugerdd Englynion,* golygydd Alan Llwyd, trwy ganiatâd Gwasg Christopher Davies.

Cydnabyddiaethau Lluniau

Ffotograffau: Robin Bath, tudalen 14: Llyfrgell Luniau BBC Hulton, tudalennau 37, 72, 80-81: Bibliotèque Publique et Universitaire de Genève, tudalen 47; Y Llyfrgell Brydeinig, tudalen 24; Awdurdod Twristiaeth Prydeinig, tudalen 112; Mentrau Eglwys Gadeiriol Chichester, tudalen 31; Llyfrgell Luniau Mary Evans, tudalennau 27, 29, 39, 43, 44, 45, 52, 56, 77, 79, 83, 111; Lluniau Sonia Halliday: F.H.C.Birch, tudalen 25; Y Chwaer Daniel, tudalennau 46, 100, 105, Sonia Halliday, tudalennau 18, 23, 36, 50, 66-67, Jane Taylor, tudalen 99; Llyfrgell Luniau Robert Harding, tudalen 92; Kupferstichkabinett, Basle, tudalen 41; Cyhoeddiadau Lion: David Alexander, tudalennau 13, 17, 42, 58-059, 71, 74-75, 97, 102, 114-15, Jon Willcocks, tudalennau 10, 19, 20-21, 34, 61, 84, 116 a'r papurau terfyn; Casgliad Mansel, tudalennau 48, 54, 55; David Morgan, tudalen 60; Popperfoto, tudalen 122; Jean-Luc Ray, tudalennau 91, 93; Meistr a Chymrodyr Coleg Sidney Sussex, Caer-grawnt, tudalen 32; Derek Widdicombe, tudalen 26; Nicholas Servian FIIP/Woodmansterne, tudalennau 108-9; ZEFA, tudalennau 73, 85, 89, 98, 118-19 a'r clawr.

Daeth y lluniadau ar dudalennau 12, 53, 87, 94 o 1800 *Woodcuts by Thomas Bewick and his School*, golygwyd gan Blanche Cirker, Cyhoeddiadau Dover Ym; daeth y rhai ar dudalennau 11, 57, 59, 65, 69, 78 o *Handbook of Early Advertising Art*, gan Clarence P. Hornung, 1956 Cyhoeddiadau Dover Ym.

Eiddo Papas yw'r cartŵn ar dudalen 103, 1967 William Collins a'i Feibion.

Daeth y llun o Dŵr Llundain ar dudalen 121 o engrafiad gan Stanislaus Holler.